AI가 말하는
창업 성공 전략

김용태

AI가 말하는 창업 성공 전략

발행	|	2024년 3월 30일
저자	|	김용태
디자인	|	어비, 미드저니
편집	|	어비
펴낸이	|	송태민
펴낸곳	|	열린 인공지능
등록	|	2023.03.09(제2023-16호)
주소	|	서울특별시 영등포구 영등포로 112
전화	|	(0505)044-0088
이메일	|	book@uhbee.net

ISBN | 979-11-93116-49-4

www.OpenAIBooks.shop

AI가 말하는
창업 성공 전략

김용태

목차

머리말

안녕하세요. 'AI가 말하는 창업 성공 전략: 무엇을 모르는지 모르는 게 가장 큰 문제인 창업자를 위한 책'은 창업 과정에서 필요한 기본적인 지식과 중요한 정보들을 AI와의 대화 형식을 통해 체계적으로 정리한 결과물입니다. 창업을 준비하시는 분들이 반드시 알아야 할 사항들을 체계적으로 다루고 있습니다.

최근 미국의 한 유명 대학교에서 진행된 연구에 따르면, AI가 비즈니스 전공 대학생들보다 더 짧은 시간 내에 훨씬 더 많은 창업 아이디어를 제시했으며, 그 품질 면에서도 우수했습니다. 이러한 연구 결과에 영감을 받아, AI가 제시하는 창업 전략에 관한 내용을 본 책에 담았습니다.

창업은 끊임없는 발견과 깨달음의 연속입니다. 창업자들이 무엇을 모르는지조차 모르는 상태에서 창업을 시작하면 많은 어려움을 겪게 됩니다. 이 책은 그러한 창업의 여정에서 어떤 고민과 준비가 필요한지 생각해 볼 수 있게 하는 역할이 되었으면 하는 생각으로 작성하였습니다. 또한, 창업 과정에서 마주할 수 있는 다양한 상황에 대해 이해하고, 그에 대처하는 데 필요한 지식을 얻을 수 있길 바랍니다.

창업을 시작하기에 앞서, 여러분이 왜 창업하려는지, 어떤 목표를 달성하고자 하는지 명확히 하는 것이 중요합니다. 이러한 목표 설정은 창업 과정에서의 의사 결정에 중요한 기준이 됩니다. 창업의 동기는 개인마다 다를 수 있으며, 경제적 독립, 사회적 가치 창출, 개인적 역량 실현 등 다양한 형태로 나타날 수 있습니다.

창업 길은 어려움과 실패의 위험이 동반되지만, 이는 모든 창업자의 공통된 경험입니다. 중요한 것은 실패에서 교훈을 얻고 다시 일어서는 것입니다. 창업을 준비하는 여러분을 응원합니다. 실패에 좌절하지 말고, 그 과정에서 배운 것을 바탕으로 꾸준히 성장하시길 기원합니다.

저자 소개

저자 김용태는 10년 간 디지털 콘텐츠 개발 스타트업을 운영하며 다양한 경험을 쌓았습니다. 액셀러레이팅 회사의 이사로 활동하며 다양한 스타트업과 교류하였고, 정부 지원 사업의 평가위원으로도 활동하면서 많은 창업 기업들의 사업 제안서를 심사했습니다. 이러한 과정에서 예비 창업자와 초기 창업자들이 공통으로 궁금해하고 어려워하는 사항들을 파악하고 이를 체계적으로 정리하여 전달하는 것이 창업기업의 창업 성과 달성을 위해 꼭 필요하다는 생각을 했습니다.

창업 경험을 가진 선배, 멘토, 평가위원으로서 얻은 다양한 활동 경험을 바탕으로, 이 책에서는 다양한 창업분야에서 보편적으로 창업 이후 창업기업을 성장시키기 위해 필요한 부분을 담고자 노력하였습니다. 창업을 준비하시는 또는 이제 막 창업을 시작하신 창업자님들에게 이 책이 조금이나마 도움이 되었으면 좋겠습니다.

01
창업의 동기와 준비

창업을 시작하기 전, 가장 먼저 해야 할 일은 바로 '왜 창업을 하려 하는가?'에 대한 답을 찾는 것입니다. 사람마다 창업의 동기는 다양합니다. 어떤 이는 자신만의 아이디어를 실현하기 위해, 어떤 이는 더 나은 삶을 추구하기 위해 창업을 선택합니다. 중요한 것은 여러분의 창업 동기가 명확해야 한다는 점입니다. 이 장에서는 창업 동기를 명확히 하는 방법과 그 중요성에 대해 알아봅니다.

창업의 첫걸음은 좋은 아이디어에서 시작됩니다. 하지만 모든 아이디어가 좋은 사업 기회를 의미하는 것은 아닙니다. 아이디어를 구상한 후에는 그것이 시장에서 실제로 통할 수 있는지 검증하는 과정이 필요합니다. 이 과정은 아이디어의 타당성을 평가하고, 사업으로서의 잠재력을 파악하는 데 중요합니다. 이 장에서는 창업 아이디어의 구상과 검증 과정에 대해 자세히 다룹니다.

대한민국의 창업 생태계는 끊임없이 변화하고 있습니다. 성공적인 창업을 위해서는 국내 창업 환경에 대한 이해가 필수적입니다. 이 장에서는 대한민국 창업 생태계의 현재 상황, 주요 트렌드, 그리고 창업자가 활용할 수 있는 다양한 지원 체계에 대해 소개합니다. 또한, 정부 지원 프로그램과 창업 관련 네트워크를 활용하는 방법에 대해서도 알아봅니다.

이 장에서는 창업의 기초를 다루며, 창업을 향한 첫걸음을 내딛는 이들에게 필요한 핵심적인 정보와 조언을 제공합니다. 각 소주제는 창업을 준비하는 데 필수적인 요소들을 쉽고 명확하게 설명하고자 합니다.

창업의 동기

경제적 자립과 독립

경제적 자립을 위한 창업은 매우 흔한 동기 중 하나입니다. 예를 들어, 많은 젊은 창업자들이 자신만의 사업을 통해 경제적 독립을 추구합니다. 이러한 창업자는 전통적인 9시부터 6시까지의 직장 생활 대신, 자신의 열정을 따라 자유롭게 사업을 운영하길 원합니다. 이들의 목표는 단순한 수익 창출을 넘어 자신의 가치와 신념을 실현하는 것입니다.

사회적 기여와 가치 창출

사회적 기업가들은 자신의 사업을 통해 사회의 긍정적인 변화를 불러오고자 합니다. 예를 들어, 교육 격차 해소, 환경 보호, 건강 증진과 같은 사회적 목표를 가진 창업자들이 있습니다. 이들은 비즈니스를 수단으로 사용하여 사회적 문제에 대한 혁신적인 해결책을 제공하고, 이를 통해 경제적 수익과 사회적 가치를 동시에 창출합니다.

기술 혁신과 시장 변화

기술의 발전은 창업의 또 다른 중요한 동기입니다. 새로운 기술을 활용해 시장에서 혁신을 이루려는 창업자들이 많습니다. 예를 들어, 인공지능, 빅데이터, 사물인터넷(IoT) 같은 기술을 활용하는 스타트업들은 전통적인 산업에 새로운 솔루션을 제공하며 시장을 변화시키고 있습니다.

개인적 성장과 발전

많은 창업자는 개인적 성장과 발전을 위해 창업을 선택합니다. 이들은 새로운 도전을 통해 자기 능력을 시험하고, 새로운 지식과 기술을 습득하며, 개인적으로도 성장하고자 합니다. 창업은 자신의 한계를 넓히고, 새로운 가능성을 탐색하는 기회를 제공합니다.

삶의 질 향상

일과 삶의 균형을 중시하는 이들에게 창업은 삶의 질을 향상하는 수단이 될 수 있습니다. 자신의 시간을 자유롭게 관리하고, 일하는 장소를 선택할 수 있는 유연성은 많은 창업자에게 매력적입니다. 이를 통해 그들은 더 만족스러운 개인

생활과 일의 균형을 이룰 수 있습니다.

이러한 다양한 창업 동기는 각 창업자가 사업을 어떻게 구상하고, 어떤 목표를 설정할 지에 영향을 미칩니다. 창업자의 동기는 그들의 사업 전략, 제품 개발, 마케팅 접근 방식에 반영되며, 최종적으로 사업 성공에 결정적인 역할을 합니다. 창업은 단순히 사업을 시작하는 것이 아니라, 개인의 꿈과 목표를 실현하는 과정입니다. 이 장을 통해 창업자들은 자신의 동기를 깊이 이해하고, 이를 바탕으로 성공적인 사업을 구축하는 방법을 배울 수 있습니다.

1.2 아이디어 구상과 검증

창업의 성공은 좋은 아이디어에서 시작하지만, 모든 아이디어가 성공적인 사업으로 이어지는 것은 아닙니다. 이 장에서는 창업 아이디어를 구상하고 검증하는 과정에 대해 살펴보고, 실제 사례를 통해 이 과정을 어떻게 수행할 수 있는지 탐구합니다.

아이디어 구상의 중요성

창업 아이디어는 사업의 기초이며, 창업자의 비전과 창의력을 반영합니다. 좋은 아이디어는 시장의 필요나 문제를 해결하며, 고객에게 가치를 제공해야 합니다. 예를 들어, 환경 문제에 관심이 많은 창업자가 재활용 가능한 소재를 사용하는 친환경 포장재를 개발하는 경우, 이 아이디어는 환경 보호라는 사회적 가치와 시장의 필요를 모두 충족시키는 좋은 예가 됩니다.

시장 조사와 분석

아이디어가 실제 시장에서 성공 가능성이 있는지 판단하기 위해 시장 조사와 분석이 필요합니다. 이 과정에서 창업자는 목표 고객, 경쟁사, 시장 동향 등을 분석합니다. 예를 들어, 건강식품 시장을 목표로 하는 창업자는 건강식품에 대한 소비자의 인식, 선호도, 구매 패턴을 조사해야 합니다. 또한, 유사 제품을 제공하는 경쟁사의 강점과 약점도 분석하는 것이 중요합니다.

아이디어의 실현 가능성 평가

아이디어를 구상한 후에는 그 아이디어의 실현 가능성을 평가해야 합니다. 이는 아이디어가 실제로 실행 가능한지, 경제적으로 타당한지를 판단하는 과정입니다. 예를 들어, 모바일 앱 개발 아이디어를 가진 창업자는 앱 개발 비용, 운영 비용, 수익 모델을 고려하여 그 아이디어의 실현 가능성을 평가해야 합니다.

프로토타입 개발과 피드백

아이디어의 검증 단계에서는 프로토타입을 개발하고 초기 사용자로부터 피드백을 받는 것이 중요합니다. 이를 통해 아이디어의 강점과 약점을 파악하고, 필요한 개선점을 찾을 수 있습니다. 예를 들어, 새로운 스마트홈 기기를 개발하는 창업자는 초기 모델을 만들어 사용자 테스트를 진행하고, 이를 통해 제품의 사용성과 시장의 반응을 평가할 수 있습니다.

최종 아이디어의 확정

아이디어 검증 과정을 통해 충분한 정보와 피드백을 얻은 후에는 최종 아이디어를 확정합니다. 이 단계에서는 수집한 데이터와 피드백을 바탕으로 아이디어를 수정하고 개선하여 시장에 출시할 최종 제품이나 서비스를 결정합니다. 예를 들어, 사용자의 피드백을 반영하여 앱의 디자인을 개선하거나, 추가적인 기능을 추가하는 것이 이 단계의 일부가 될 수 있습니다.

좋은 아이디어는 창업의 시작점이지만, 그 아이디어가 시장에서 성공하기 위해서는 철저한 준비와 검증이 필요합니다. 이 장에서 다룬 과정과 사례들은 창업자들이 자기 아이디어를 효과적으로 검증하고 시장에 성공적으로 진입하는 데 도움이 될 것입니다.

1.3 한국 창업 생태계 이해

창업을 준비하는 과정에서 한국의 창업 생태계를 이해하는 것은 매우 중요합니다. 이 장에서는 한국의 창업 환경, 그 특징, 그리고 이용 가능한 자원과 네트워크에 대해 살펴봅니다.

한국 창업 생태계의 특성

한국의 창업 생태계는 빠르게 성장하고 다양화하고 있습니다. 정부와 민간 부문 모두에서 창업을 적극 지원하고 있으며, 특히 기술 및 혁신 중심의 스타트업에 대한 투자와 관심이 높습니다. 정부는 창업 지원 프로그램, 보조금, 세제 혜택 등을 제공하여 창업자들을 지원하고 있습니다. 또한, 다양한 액셀러레이터, 인큐베이터 프로그램들이 창업 초기 기업에 멘토링, 투자, 사무 공간 등을 제공합니다.

정부 지원 프로그램과 정책

정부는 창업을 활성화하기 위해 다양한 지원 프로그램과 정책을 운영하고 있습니다. 이러한 프로그램들은 창업 초기 자금 지원, 사업 개발, 시장 진출 등 다양한 분야에서 창업자들을 돕습니다. 중소벤처기업부는 창업 초기 기업들을 위한 예비 창업자 성공 패키지, 초기 창업자 성공 패키지, 재도전 성공 패키지, 창업 도약 패키지 등의 사업화 지원사업과 창업 성장 기술개발 사업, 중소기업 기술혁신 개발사업 등을 통해 창업기업의 기술 개발과 사업화를 지원합니다. 또한, 지방자치단체별로도 창업 지원 센터와 프로그램을 운용하고 있어 지역 창업자들에게 맞춤형 지원을 제공합니다.

창업 생태계의 네트워크와 커뮤니티

다양한 창업 관련 행사, 네트워킹 이벤트, 세미나 등이 정기적으로 열리며, 이를 통해 창업자들은 서로의 경험을 공유하고 협력의 기회를 찾을 수 있습니다. 예를 들어, 창조경제 혁신센터, 대학 창업보육센터 등과 같은 인큐베이팅 역할을 하는 곳에서는 다양한 행사를 운영하며 창업자, 투자자, 멘토 등 다양한 창업 생태계 구성원들이 모여 정보를 교환하고 협력을 모색할 수 있도록 지원하고 있습니다.

한국 창업 생태계의 도전과 기회

한국 창업 생태계는 도전과 기회가 공존합니다. 기술 혁신과 글로벌 시장 진출의 기회가 있지만, 경쟁이 심화되고 시장 진입 장벽이 높아지는 도전도 있습니다. 예를 들어, 한국의 스타트업 중 상당수는 기술 혁신을 통해 글로벌 시장에 진출하고자 하지만, 이를 위해서는 충분한 자본과 국제적 네트워크가 필요합니다.

창업 생태계의 지속적 발전

한국의 창업 생태계는 계속해서 발전하고 있습니다. 정부와 민간의 지원, 창업자들의 혁신적 아이디어, 글로벌 시장으로의 확장 가능성이 이 생태계를 더욱 강화하고 있습니다. 창업자들은 이러한 생태계 안에서 자기 아이디어를 현실로 만들고, 사업을 성장시킬 수 있는 다양한 지원과 기회를 찾을 수 있습니다.

대한민국의 창업 생태계를 이해하는 것은 창업자들에게 필수적입니다. 이를 통해 그들은 자신의 사업을 성공적으로 시작하고, 성장시킬 수 있는 전략을 수립하며, 필요한 지원과 자원을 활용할 수 있습니다.

02
시장 조사와 고객 인사이트

성공적인 창업을 위해서는 시장 조사와 고객 인사이트의 이해가 필수적입니다. 이 장에서는 시장 조사의 중요성과 방법, 그리고 고객 인사이트를 얻는 다양한 접근 방식에 관해 설명합니다.

시장 조사의 중요성

시장 조사는 사업 아이디어의 타당성을 확인하고, 시장의 필요와 기회를 파악하는 데 필수적입니다. 예를 들어, 한 스타트업이 건강 관련 모바일 앱을 개발하려 할 때, 시장 조사를 통해 목표 고객의 건강 관리 습관, 기존 앱 사용 경험, 그리고 경쟁사의 강점과 약점을 파악할 수 있습니다. 이 정보는 제품 개발, 가격 책정, 마케팅 전략을 결정하는 데 중요한 기초 자료가 됩니다.

시장 조사 방법

시장 조사는 여러 방법으로 진행할 수 있습니다. 설문 조사, 인터뷰, 포커스 그룹, 경쟁사 분석, 시장 데이터 분석 등 다양한 방법이 있습니다. 예를 들어, 신규 커피숍을 개업하려는 창업자는 목표 지역의 인구 통계, 소비자의 커피 소비 습관, 경쟁 커피숍의 가격과 서비스 등을 조사하여 자신의 사업 계획을 세울 수 있습니다.

고객 인사이트의 중요성

고객 인사이트는 시장 조사를 통해 얻은 데이터를 바탕으로 고객의 실제 요구와 선호를 깊이 이해하는 것입니다. 이는 제품이나 서비스를 고객의 필요와 기대에 맞추는 데 중요합니다. 예를 들어, 청년층을 대상으로 하는 패션 브랜드는 고객 인사이트를 통해 최신 패션 트렌드, 구매 결정 요인, 온라인 쇼핑 선호도 등을 파악할 수 있습니다.

고객 인사이트 얻기

고객 인사이트를 얻기 위해서는 고객과의 지속적인 상호작용과 피드백 수집이 중요합니다. 소셜 미디어, 고객 설문, 제품 리뷰, 고객 서비스 데이터 등 다양한 채널을 통해 고객의 의견을 수집할 수 있습니다. 예를 들어, 어린이 교육용 앱을 개발하는 스타트업은 부모와 교사의 피드백을 바탕으로 앱의 교육 콘텐츠를 개선할 수 있습니다.

시장 조사와 고객 인사이트의 통합

시장 조사와 고객 인사이트는 서로 보완적인 관계에 있습니다. 시장 조사를 통해 얻은 데이터를 바탕으로 고객 인사이트를 추출하고, 이를 사업 전략에 통합합니다. 예를 들어, 건강 보조 식품 시장 조사 결과를 바탕으로 특정 연령대의 건강 문제에 초점을 맞춘 제품을 개발할 수 있습니다. 이는 목표 고객의 필요에 기반한 제품 개발과 마케팅 전략을 수립하는 데 도움을 줍니다.

시장 조사와 고객 인사이트는 창업 과정에서 중요한 역할을 합니다. 이를 통해 창업자들은 자신의 사업 아이디어가 시장에서 어떻게 작동할지를 이해하고, 제품이나 서비스를 고객의 필요와 기대에 맞추어 조정할 수 있습니다. 철저한 시장조사와 고객 인사이트의 활용은 창업의 성공을 위한 핵심적인 요소입니다.

2.1 시장 조사의 중요성과 방법

창업 과정에서 시장 조사의 중요성은 강조해도 지나치지 않습니다. 이 장에서는 시장 조사의 필요성, 실행 방법, 그리고 실제 사례를 통해 이를 어떻게 효과적으로 수행할 수 있는지 살펴보겠습니다.

시장 조사의 필요성

시장 조사는 창업 과정에서 사업 아이디어의 타당성을 평가하고, 시장의 요구와 트렌드를 이해하는 데 필수적입니다. 시장 조사 없이 사업을 시작하는 것은 목적지 없이 항해하는 것과 같습니다. 제대로 된 조사를 통해 목표 고객, 경쟁 상황, 시장의 크기와 잠재력을 파악할 수 있습니다.

예를 들어, 건강 음료 시장에 진입하려는 창업자는 소비자들의 건강에 대한 관심, 기존 건강 음료에 대한 선호도, 경쟁 제품의 가격과 품질 등을 조사해야 합니다. 이러한 정보는 제품 개발, 마케팅 전략, 가격 결정에 중요한 영향을 미칩니다.

시장 조사 방법

설문 조사 : 목표 고객으로부터 직접 정보를 얻는 가장 효과적인 방법 중 하나입니다. 온라인 설문 플랫폼을 활용해 비용을 절감하고 빠르게 다양한 응답을 수집할 수 있습니다.

인터뷰 및 포커스 그룹 : 고객의 직접적인 의견을 듣기 위해 개별 인터뷰나 소규모 그룹 토론을 진행합니다. 이를 통해 더욱 깊이 있는 통찰력을 얻을 수 있습니다.

경쟁사 분석 : 시장에 이미 존재하는 경쟁사의 제품, 가격, 마케팅 전략 등을 분석합니다. 이를 통해 자사 제품의 차별점과 시장 진입 전략을 수립할 수 있습니다.

시장 데이터 분석 : 공개된 시장 보고서, 통계 자료 등을 활용하여 시장의 크기, 성장률, 소비자 트렌드 등을 분석합니다. 이 정보는 사업의 잠재력을 평가하는 데 중요합니다.

한 스타트업이 애완동물 용품을 출시하기 전에 시장 조사를 수행했다고 가정해 봅시다. 이들은 애완동물 소유자를 대상으로 설문 조사를 실시하고, 포커스 그룹을 통해 제품 개선사항을 도출할 수 있습니다. 또한, 유사 제품을 판매하는 경쟁사의 가격 정책과 프로모션 전략을 분석하여 자사 제품의 마케팅 전략을 결정할 수 있습니다.

효과적인 시장 조사는 창업의 성공을 위한 필수적인 과정입니다. 시장 조사는 창업 과정에서 사업 모델을 검증하고, 시장 진입 전략을 수립하는 데 중요한 역할을 하며, 철저한 시장 조사를 통해 얻은 데이터와 인사이트는 창업의 성공을 위한 강력한 기반이 됩니다.

2.2 목표 고객 이해하기

창업 과정에서 목표 고객을 이해하는 것은 사업 성공의 결정적인 역할을 합니다. 목표 고객은 창업자가 만드는 제품이나 서비스를 가장 필요로 하고 가장 높은 반응을 보일 가능성이 높은 소비자 집단을 말합니다. 이들의 요구와 선호를 정확히 파악하는 것은 제품 개발, 마케팅 전략, 판매 채널 선택에 핵심적인 영향을 미칩니다.

목표 고객 파악의 중요성
목표 고객을 파악하는 것은 창업자가 제공하고자 하는 가치를 정확히 전달할 수 있는 기반을 마련합니다. 목표 고객의 특성을 이해하면, 제품이나 서비스를 그들의 요구에 맞추어 개발하고, 더욱 효과적인 마케팅 전략을 수립할 수 있습니다.

예를 들어, 유아용 제품을 시장에 출시하려는 창업자의 경우, 목표 고객인 부모들의 관심사와 필요를 파악해야 합니다. 이들은 제품의 안전성, 교육적 가치, 사용 편의성 등을 중요하게 고려합니다. 따라서, 이러한 요소들을 제품 설계와 마케팅 메시지에 반영해야 합니다.

목표 고객 파악 방법

인구 통계학적 정보 : 목표 고객의 연령, 성별, 결혼 여부, 교육 수준, 소득 등 인구 통계학적 정보를 수집합니다. 이 데이터는 고객층의 기본적인 특성을 이해하는 데 도움이 됩니다.

심리적 특성 : 목표 고객의 라이프스타일, 가치관, 구매 동기 등 심리적 특성을 분석합니다. 이는 고객의 구매 결정 과정을 이해하는 데 중요합니다.

행동적 특성 : 고객의 구매 패턴, 브랜드 선호도, 사용 습관 등 행동적 특성을 분석합니다. 이 정보는 마케팅 전략과 판매 채널의 선택에 도움이 됩니다.

목표 고객의 요구와 선호는 시간이 지남에 따라 변할 수 있습니다. 따라서, 지속적인 시장 조사와 고객 피드백 수집이 필요합니다. 이를 통해 제품이나 서비스를 지속해서 개선하고, 시장 변화에 적응하는 전략을 수립할 수 있습니다.

건강 보조 식품을 시장에 출시하는 창업자는 목표 고객인 건강을 중시하는 소비자들의 최신 트렌드와 건강에 대한 관심사를 지속해서 모니터링해야 합니다. 이를 통해 제품 배합비율, 패키징, 마케팅 메시지를 시간에 따라 조정할 수 있습니다.

목표 고객을 정확히 이해하는 것은 제품이나 서비스가 시장에서 성공하는 데 필수적입니다. 이 과정을 통해 창업자는 제품이나 서비스를 고객의 요구에 맞추어 개발하고, 효과적으로 시장에 접근할 수 있는 전략을 수립할 수 있습니다. 철저한 고객 분석과 지속적인 모니터링은 창업의 성공을 위한 중요한 기반이 됩니다.

2.3 경쟁사 분석 및 시장 위치 선정

경쟁사 분석의 중요성

창업 과정에서 경쟁사 분석은 시장에서의 자신의 위치를 정의하고 성공적인 전략을 수립하는 데 필수적입니다. 경쟁사 분석은 다른 사업체들이 어떻게 운영되고 있는지, 고객들이 무엇을 좋아하거나 불만을 가졌는지 이해하는 데 도움을 줍니다. 이 정보는 창업자가 자신의 제품이나 서비스를 차별화하고, 경생 우위를 확보하는 데 중요합니다.

예를 들어, 새로운 카페를 개업하려는 창업자는 주변 지역의 경쟁 카페들을 분석해야 합니다. 이 분석에는 메뉴, 가격, 인테리어, 고객 서비스, 위치, 고객 후기 등이 포함됩니다. 이러한 정보를 바탕으로 창업자는 자신의 카페를 경쟁 카페들과 차별화할 수 있으며, 목표 고객에게 더 매력적인 선택지를 제공할 수 있습니다.

경쟁사 분석 방법

시장 조사 : 경쟁사의 제품, 서비스, 마케팅 전략 등을 조사합니다. 이를 통해 시장 내의 경쟁 상황과 고객의 요구 사항을 파악할 수 있습니다.

고객 후기와 피드백 분석 : 온라인 리뷰, 소셜 미디어, 고객 설문을 통해 경쟁사에 대한 고객의 반응을 분석합니다. 이러한 정보는 고객이 무엇을 중요하게 생각하는지, 무엇에 불만을 가졌는지 이해하는 데 도움이 됩니다.

SWOT 분석 : 각 경쟁사의 장점(Strengths), 약점(Weaknesses), 기회(Opportunities), 위협(Threats)을 분석합니다. 이는 창업자가 자신의 비즈니스를 어떻게 위치시킬지 결정하는 데 중요한 기준을 제공합니다.

경쟁사 분석을 통해 얻은 정보는 창업자가 시장에서 자신의 비즈니스를 어떻게 위치시킬지 결정하는 데 중요한 역할을 합니다. 이는 고객에게 제공할 독특한 가치 제안을 정의하고, 특정 시장 세그먼트에 초점을 맞추는 데 도움이 됩니다.

예를 들어, 헬스케어 앱을 개발하는 창업자는 경쟁사 앱의 기능, 사용자 인터페이스, 가격 정책 등을 분석합니다. 이를 통해 자신의 앱이 제공할 수 있는 독특한 기능이나 서비스를 발견하고, 시장에서의 경쟁 우위를 확보할 수 있습니다.

경쟁사 분석과 시장 위치 선정은 창업 과정에서 매우 중요합니다. 이를 통해 창업자는 시장의 기회를 파악하고, 자신의 비즈니스를 경쟁사와 차별화할 수 있는 전략을 수립할 수 있

습니다. 철저한 분석과 전략적인 시장 위치 선정은 창업의
성공을 위한 견고한 기반을 마련합니다.

03
비즈니스 모델과 전략 개발

비즈니스 모델은 창업의 핵심이며, 사업의 방향과 구조를 정
의합니다. 이는 고객에게 가치를 제공하는 방법, 수익을 창출
하는 메커니즘, 주요 비즈니스 활동과 파트너십 등을 포함합
니다. 강력하고 명확한 비즈니스 모델은 창업의 성공을 위한
기반을 마련합니다.

비즈니스 모델 개발

가치 제안 : 제품이나 서비스가 고객에게 제공하는 독특한
가치를 정의합니다. 예를 들어, 환경친화적인 패션 브랜드는
지속 가능성이라는 가치 제안으로 시장에 접근합니다.

고객 세그먼트 : 목표 고객을 명확히 정의하고, 그들의 필요
와 요구를 충족시킬 수 있는 방법을 찾습니다. 예를 들어, 노
년층을 대상으로 하는 헬스케어 앱은 이 연령대의 특성에 맞

는 서비스를 제공합니다.

수익 모델 : 사업에서 수익을 창출하는 방법을 결정합니다. 이는 제품 판매, 구독 모델, 광고, 프리미엄 서비스 등 다양한 형태를 취할 수 있습니다.

핵심 활동과 자원 : 사업 운영을 위해 필요한 주요 활동과 자원을 식별합니다. 예를 들어, 온라인 마켓플레이스를 운영하는 경우, 플랫폼 개발과 유지 관리가 핵심 활동이 됩니다.

파트너십과 협력 : 성공적인 비즈니스 운영을 위해 필요한 외부 파트너십과 협력 관계를 구축합니다. 예를 들어, 로컬 농산물을 사용하는 레스토랑은 지역 농가와의 파트너십을 발전시킬 수 있습니다.

전략 개발

비즈니스 모델을 바탕으로 전략을 개발합니다. 이는 시장 진입 전략, 마케팅과 홍보 전략, 성장 전략 등을 포함할 수 있습니다.

시장 진입 전략 : 제품이나 서비스를 시장에 어떻게 소개할지 결정합니다. 예를 들어, 새로운 기술 제품을 출시하는 경우, 초기에 테크 커뮤니티에 집중적으로 마케팅을 할 수 있습니다.

마케팅과 홍보 : 목표 고객에게 도달하는 방법을 결정합니다. 소셜 미디어 마케팅, 이벤트, 온라인 광고 등 다양한 방법이

있습니다.

성장 전략 : 장기적인 비즈니스 성장을 위한 계획을 수립합니다. 이는 신제품 개발, 시장 확장, 다양한 수익 채널 개발 등을 포함할 수 있습니다.

결론

비즈니스 모델과 전략 개발은 창업 과정에서 매우 중요합니다. 이를 통해 창업자는 자신의 사업 아이디어를 구체화하고, 시장에서 성공적으로 운영할 수 있는 계획을 수립할 수 있습니다. 철저한 계획과 전략은 창업의 성공을 위한 견고한 기반을 마련합니다.

3.1 비즈니스 모델의 설계

비즈니스 모델 설계의 중요성

비즈니스 모델의 설계는 창업의 핵심 과정입니다. 이는 창업자가 자기 아이디어를 구체화하고, 사업 운영 방식을 명확히 하는 데 도움을 줍니다. 효과적인 비즈니스 모델은 고객에게 가치를 제공하고, 지속 가능한 수익을 창출하는 방법을 규명합니다.

비즈니스 캔버스 활용

비즈니스 캔버스는 비즈니스 모델을 시각화하고 구조화하는 훌륭한 도구입니다. 이 캔버스는 다음과 같은 핵심 요소로 구성됩니다:

가치 제안 (Value Proposition) : 제품이나 서비스가 고객에게 제공하는 독특한 가치입니다. 예를 들어, 편리한 모바일 앱을 통해 빠른 배달 서비스를 제공하는 것이 가치 제안이 될 수 있습니다.

고객 세그먼트 (Customer Segments) : 비즈니스가 목표로 하는 고객 그룹입니다. 예를 들어, 젊은 직장인을 대상으로 하는 카페의 경우, 바쁜 일상에서 편안한 휴식을 제공하는 것이 중요합니다.

수익 스트림 (Revenue Streams) : 비즈니스가 수익을 어떻게 창출하는지에 대한 부분입니다. 예를 들어, 상품 판매, 구독 모델, 광고 등 다양한 방법이 있습니다.

유통 채널 (Channels) : 제품이나 서비스가 고객에게 도달하는 방법입니다. 예를 들어, 온라인 마켓플레이스, 소셜 미디어, 오프라인 매장 등이 있습니다.

고객 관계 (Customer Relationships) : 고객과의 관계 유지 및 관리 방법입니다. 개인화된 서비스, 고객 지원, 커뮤니티 구축 등이 포함됩니다.

핵심 활동 (Key Activities) : 가치 제안을 실현하기 위한 주요 활동입니다. 예를 들어, 제품 개발, 마케팅 캠페인, 고객 서비스 등이 있습니다.

핵심 자원 (Key Resources) : 비즈니스 운영을 위해 필요한 주요 자원입니다. 인적 자원, 지적 재산, 물리적 자산 등이 포함됩니다.

핵심 파트너십 (Key Partnerships) : 성공적인 비즈니스 운영을 위해 필요한 외부 협력 관계입니다. 공급업체, 제휴사, 기술 파트너 등이 있습니다.

비용 구조 (Cost Structure) : 비즈니스 모델을 운영하는 데 드는 주요 비용입니다. 고정 비용, 변동 비용, 인건비 등을 고려합니다.

비즈니스 캔버스의 적용 예시

예를 들어, 친환경 생활용품을 판매하는 온라인 스토어의 경우, 비즈니스 캔버스를 통해 각 요소를 명확히 정의하고, 각 요소가 서로 어떻게 연결되는지 명확하게 이해할 수 있습니다. 이는 사업 계획을 수립하고 전략을 개발하는 데 도움이 됩니다.

3.2 수익 창출 전략

수익 창출 전략의 중요성

비즈니스의 성공은 수익 창출 능력에 달려 있습니다. 수익 창출 전략은 사업이 재정적으로 지속 가능하게 만들어 주며, 성장을 위한 투자와 확장의 기회를 제공합니다. 이 전략은 비즈니스 모델에 따라 다양하게 구성될 수 있으며, 시장의 수요와 고객의 지불 능력을 고려해야 합니다.

수익 모델의 종류

직접 판매: 제품이나 서비스를 직접 고객에게 판매하는 모델입니다. 예를 들어, 소프트웨어 회사가 자체 개발한 프로그램을 고객에게 판매합니다.

구독 모델 : 정기적인 지불을 통해 지속적인 수익을 창출합니다. 예를 들어, 온라인 스트리밍 서비스나 정기적인 건강식품 배송 서비스가 이에 해당합니다.

광고 모델 : 제품이나 서비스를 무료 또는 저렴한 가격에 제공하고, 광고를 통해 수익을 창출합니다. 많은 온라인 미디어 플랫폼과 애플리케이션이 이 모델을 사용합니다.

수수료 기반 모델 : 거래나 서비스 제공에 대해 수수료를 받습니다. 예를 들어, 온라인 마켓플레이스나 중개 서비스가 이 모델을 사용할 수 있습니다.

건강 관련 애플리케이션을 개발하는 스타트업은 다음과 같은 수익 창출 전략을 사용할 수 있습니다:

프리미엄 모델 : 기본적인 기능은 무료로 제공하고, 고급 기능이나 추가 콘텐츠에 대해서는 유료 구독을 제공합니다.

파트너십 및 제휴 마케팅 : 건강 및 웰니스 관련 제품을 앱 내에서 소개하고, 해당 제품의 판매나 홍보에 대한 수수료를 받습니다.

데이터 분석 및 보고서 판매 : 사용자의 건강 데이터를 분석하여 유용한 인사이트를 제공하는 보고서를 개발하고, 이를 기업 고객에게 판매합니다.

수익 창출 전략의 개발

수익 창출 전략을 개발할 때는 목표 고객의 구매 습관, 가격 민감도, 경쟁사의 가격 전략 등을 고려해야 합니다. 또한, 수익 모델이 비즈니스의 핵심 가치와 일치하도록 해야 하며, 시장 변화에 유연하게 대응할 수 있어야 합니다.

강력한 수익 창출 전략은 비즈니스의 장기적인 성공을 위한 핵심적인 요소입니다. 다양한 수익 모델을 고려하고, 시장의 수요와 고객의 요구에 맞는 전략을 개발하여 사업의 지속 가능성을 확보해야 합니다. 체계적인 접근과 지속적인 시장 분석을 통해 수익 창출 전략을 최적화할 수 있습니다.

3.3 지속 가능한 비즈니스 전략: ESG 관점

ESG(환경, 사회, 지배구조)의 중요성

지속 가능한 비즈니스 전략은 ESG(환경, 사회, 지배구조)의 관점에서 점점 더 중요해지고 있습니다. ESG는 기업이 장기적으로 지속 가능하고 윤리적으로 운영될 수 있도록 하는 핵심 요소로, 기업의 재무적 성과뿐만 아니라 사회적, 환경적 책임을 강조합니다.

환경(Environment)

친환경 운영 방식 : 기업은 에너지 효율 개선, 온실가스 배출 감소, 재활용 및 지속 가능한 자원 사용 등을 통해 환경 보호에 기여합니다.

예시: 한 패션 브랜드가 유기농 소재를 사용하여 의류를 제작하고, 탄소 발자국을 줄이기 위한 노력을 합니다.

사회(Social)

사회적 책임: 기업은 공정 무역, 직원 복지 향상, 지역 사회와의 협력 등을 통해 사회적 책임을 다합니다.

예시 : IT 기업이 지역 사회 교육 프로그램에 기술 지원을 제공하고, 직원들에게 유연한 근무 환경을 제공합니다.

지배구조(Governance)

투명한 운영 : 기업의 운영과 의사결정 과정에서 투명성과

윤리적 기준을 준수합니다.

예시 : 기업이 정기적으로 환경 및 사회적 성과에 관한 보고서를 발행하고, 모든 이해관계자에게 개방적인 정보 공유를 합니다.

ESG를 통한 지속 가능한 전략

ESG 통합 : 기업은 ESG 요소를 사업 모델과 전략에 통합하여 장기적인 지속 가능성과 경쟁력을 확보합니다.

예시 : 식품 회사가 지속 가능한 농업 관행을 채택하고, 사회적 기업으로서 지역 농가와 협력하며, 내부 지배구조를 강화합니다.

ESG 관점에서의 지속 가능한 비즈니스 전략은 단순한 수익 창출을 넘어서, 기업의 장기적 성공과 사회적 책임을 동시에 추구합니다. 이러한 전략은 기업이 위기를 극복하고 지속 가능한 미래를 구축하는 데 필수적입니다. ESG 요소를 전략에 통합함으로써 기업은 더 강하고, 탄력적이며, 책임 있는 사업을 운영할 수 있습니다.

04
자본 확보와 재무 계획

성공적인 비즈니스 운영을 위해 필요한 자본을 확보하는 것은 창업의 초기 단계에서 매우 중요합니다. 이는 사업을 시작하고, 운영하며, 성장시키기 위한 자금을 마련하는 과정입니다. 적절한 자본 확보 없이는 비즈니스의 안정성과 성장 가능성이 크게 제한됩니다.

자본 확보 방법

개인 자본 : 창업자 자신의 저축이나 자산을 투입하는 방법입니다. 이는 외부 자본에 의존하지 않고 독립성을 유지할 수 있는 장점이 있습니다.

투자 유치 : 엔젤 투자자, 벤처 캐피탈, 크라우드펀딩 등을 통해 자본을 유치합니다. 이 방법은 대규모 자금을 확보할 수 있지만, 일정 부분의 사업 지분을 양도해야 할 수도 있습니다.

정부 지원 프로그램: 정부나 지방자치단체의 창업 지원 프로그램, 보조금을 활용할 수 있습니다. 이는 특히 초기 단계에서 유용하며, 무이자 대출이나 보조금 형태로 제공될 수 있습니다.

은행 대출 : 전통적인 방법으로, 은행 대출을 통해 필요한 자

본을 확보합니다. 이 방법은 이자 부담과 상환 조건을 고려해야 합니다.

예를 들어, 새로운 모바일 앱을 개발하는 기술 스타트업이 벤처 캐피탈로부터 투자를 받는 경우를 들 수 있습니다. 이 투자금은 개발 비용, 마케팅, 인력 확충 등에 사용됩니다.

재무 계획의 중요성

사업의 재정적 건전성을 확보하기 위한 재무 계획은 필수적입니다. 이는 수익성 분석, 비용 관리, 현금 흐름 관리 등을 포함하여 사업의 재정적 안정성을 확보하고 장기적인 성장을 도모합니다.

재무 계획 방법

예산 계획 : 사업의 모든 측면에 대한 예산을 세우고, 지출을 관리합니다. 이는 자금의 낭비를 방지하고 효율적인 자금 운용을 가능하게 합니다.

현금 흐름 관리 : 현금의 유입과 유출을 면밀히 관리하여 재정적 유동성을 유지합니다. 이는 갑작스러운 자금 부족 사태를 방지하는 데 중요합니다.

수익성 분석 : 사업의 수익성을 주기적으로 분석하여, 사업모델의 타당성을 평가하고 필요한 조정을 합니다.

실무적인 관점에서의 자본 확보

실무적인 관점에서 볼 때, 자본 확보는 사업 계획의 신뢰성, 시장 분석의 정확성, 투자 제안의 매력도에 달려 있습니다. 예를 들어, 시장의 잠재력을 명확히 보여주고, 사업 계획의 실행 가능성을 입증하는 것이 중요합니다. 이를 위해서는 철저한 시장 조사, 명확한 사업 계획, 그리고 잠재적 투자자에게 매력적인 제안이 필요합니다.

자본 확보와 재무 계획은 창업과 사업 운영의 성공을 위한 필수적인 요소입니다. 이 과정에서 사업의 재정적 건전성을 확보하고, 장기적인 성장 전략을 수립하는 것이 중요합니다. 철저한 계획과 실질적인 실행 전략은 비즈니스의 안정성과 성공을 위한 견고한 기반을 마련합니다.

4.1 창업 자본의 다양한 출처

정부 지원 프로그램 활용

정부 지원 프로그램은 초기 창업자에게 저리 대출, 보조금, 무료 사무 공간, 멘토링 등 다양한 혜택을 제공합니다. 이러한 지원은 초기 비용 부담을 크게 줄여줄 수 있습니다.

아래 플랫폼에서 다양한 정부 지원사업 공고를 확인할 수 있습니다.

K스타트업 : https://www.k-startup.go.kr/
기업마당 : https://www.bizinfo.go.kr/

액셀러레이터 투자 활용

액셀러레이터는 자본뿐만 아니라 사업 개발, 네트워킹, 전문적인 멘토링 서비스를 제공합니다. 이는 극초기 또는 초기 창업기업의 성장을 가속하는 데 중요한 역할을 합니다.

국내에는 다양한 액셀러레이터(창업기획자) 기관이 있으며, 액셀러레이터들은 각자 전문 분야에 해당하는 창업기업을 대상으로 3~6개월 정도 기간의 배치 프로그램을 운영하는 과정에서 창업기업에 투자를 하기 때문에, 창업기업이 보유한 아이템과 산업 분야에 투자를 진행하는 해당 분야의 전문 액셀러레이터를 만나는 게 중요합니다.

아래 플랫폼에서 액셀러레이터들의 전문 분야와 투자정보 등을 확인할 수 있습니다.

(사)한국액셀러레이터협회 : https://www.k-ac.or.kr/

더브이씨 : https://thevc.kr/

대출 및 융자 활용

전통적인 대출 및 융자는 필요한 자본을 확보하는 데 있어 대표적인 방법입니다. 은행 대출은 일정한 이자율과 상환 조건으로 자금을 제공합니다.

기술보증기금, 신용보증기금, 지역 신용보증재단, 중소벤처기업진흥공단 등과 같은 기관은 직접 대출 또는 대출 보증서 발급을 통해 안정적으로 시설자금 및 운전자금을 확보할 수 있도록 지원하는 대표적인 기관입니다.

기술보증기금 : https://www.kibo.or.kr/

신용보증기금 : https://www.kodit.co.kr/

중소벤처기업진흥공단 : https://www.kosmes.or.kr/

벤처캐피탈 투자 활용

벤처캐피탈은 높은 성장 잠재력을 가진 스타트업에 투자합니다. 이는 큰 규모의 자본을 확보할 기회를 제공합니다.

벤처캐피탈이 운영하는 펀드 및 조합은 특정 산업 분야(헬스케어, 디지털콘텐츠, 핀테크, 바이오 등)를 성장시키기 위해 조성되는 경우가 많기 때문에, 되도록 창업기업과 관련 분야의 펀드를 운용하는 벤처캐피탈을 찾는 것이 중요합니다.

아래 플랫폼에서 벤처캐피탈이 운영하는 펀드 정보를 확인할 수 있습니다.

벤처투자종합포털 : https://www.vcs.go.kr/

벤처IR : http://www.ventureir.or.kr/

창업 초기에는 다양한 출처에서 자본을 확보하는 것이 중요합니다. 정부 지원 프로그램, 액셀러레이터, 대출 및 융자, 벤처캐피탈 등은 각각의 장단점이 있으며, 이를 적절히 활용하는 것이 창업 성공의 열쇠가 됩니다. 각 옵션을 신중히 고려하여 사업 목표와 재정적 요구에 가장 적합한 자본 조달 방법을 선택하는 것이 중요합니다.

4.2 투자 유치 전략과 협상

투자 유치 전략의 중요성

투자 유치는 스타트업과 창업 기업의 성장에 필수적입니다. 적절한 투자 유치 전략을 세우고 효과적인 협상을 통해 필요한 자본을 확보하는 것은 사업 확장과 성공의 열쇠입니다. 투자자를 설득하고 자본을 확보하기 위해서는 명확한 사업 계획과 가치 제안이 필요합니다.

투자 유치 전략

사업 계획의 명확성 : 투자자에게 사업 아이디어와 잠재적인 시장, 수익 모델을 명확하게 제시합니다. 이는 투자자가 사업의 가능성을 이해하고 신뢰를 갖는 데 중요합니다.

가치 제안의 강조 : 제품이나 서비스가 시장에서 가지는 독

특한 가치와 경쟁 우위를 강조합니다. 투자자는 사업이 시장 내에서 성공할 수 있는 구체적인 이유를 알고 싶어합니다.

투자 대비 수익 (ROI) 분석 : 투자자에게 투자 대비 예상 수익률을 보여줍니다. 이는 투자자가 재정적 결정을 내리는 데 중요한 기준이 됩니다.

투자 협상 전략

사업 가치 평가: 사업의 현재 가치와 잠재적 가치를 합리적으로 평가합니다. 이는 지분율과 투자 조건을 결정하는 데 중요한 기준이 됩니다.

유연한 협상 태도 : 투자 조건에 대해 유연한 협상 태도를 유지합니다. 모든 협상 요소(자본 규모, 지분율, 이사회 구성 등)가 사업의 미래에 영향을 미칠 수 있습니다.

장기적인 관계 구축 : 투자자와의 협상은 단순한 자본 조달을 넘어 장기적인 파트너십 구축의 기회입니다. 투자자와의 좋은 관계는 미래의 추가 투자나 네트워킹 기회로 이어질 수 있습니다.

예를 들어, 인공지능 기술을 기반으로 한 스타트업이 벤처 캐피탈로부터 투자를 유치하는 경우, 사업 계획의 명확성과 시장 내 독특한 가치 제안이 중요합니다. 또한, 투자자와의 협상에서는 사업 가치를 합리적으로 평가하고, 투자 조건에 대해 유연하게 접근합니다. 이 과정에서 투자자와의 신뢰 관계를 구축하는 것도 중요한 요소입니다.

투자 유치는 창업 및 스타트업의 성장과 성공에 결정적인 역할을 합니다. 효과적인 투자 유치 전략과 협상은 사업 계획의 명확성, 가치 제안의 강조, 그리고 투자자와의 긍정적인 관계 구축에 기반을 두어야 합니다. 실무적인 관점에서 이러한 전략은 사업의 장기적 성장과 발전을 위한 견고한 기반을 마련합니다.

4.3 재무 계획과 예산 관리

재무 계획은 비즈니스의 재정적 건전성을 확보하고 장기적인 성공을 도모하기 위해 필수적입니다. 체계적인 재무 계획과 예산 관리는 자원의 효율적 사용을 보장하고, 재정적 위험을 최소화하는 데 도움이 됩니다.

재무 계획의 구성 요소

수익 예측 : 사업의 수익 잠재력을 평가하고, 예상 수익을 예측합니다. 이는 사업의 지속 가능성과 성장 전망을 이해하는 데 중요합니다.

비용 분석 : 고정 비용과 변동 비용을 포함한 전체 비용을 분석합니다. 이는 예산 계획을 수립하고 비용을 효율적으로

관리하는 데 필요합니다.

현금 흐름 관리 : 현금의 유입과 유출을 관리하여 재정적 유동성을 유지합니다. 이는 사업 운영의 안정성을 보장하는 데 중요합니다.

비상 자금 계획 : 예상치 못한 비용이나 위기 상황에 대비하여 비상 자금을 계획합니다. 이는 재정적 안정성을 유지하는 데 중요한 역할을 합니다.

예산 관리 전략

예산의 정확한 설정: 사업의 모든 측면에 대해 현실적이고 구체적인 예산을 설정합니다. 이는 자금의 효율적인 배분과 관리를 위한 기초가 됩니다.

지출 모니터링 : 정기적으로 실제 지출을 모니터링하고 예산과 비교합니다. 이는 예산 초과를 방지하고 재정적 통제를 유지하는 데 도움이 됩니다.

유연한 예산 조정 : 시장 상황이나 사업 환경의 변화에 따라 유연하게 예산을 조정합니다. 이는 사업의 재정적 유연성을 높이는 데 중요합니다.

예를 들어, 새로운 애플리케이션을 개발하는 중소 규모의 스타트업이 재무 계획을 수립하는 경우, 수익 예측, 비용 분석, 현금 흐름 관리를 철저히 해야 합니다. 초기 개발 비용, 마케팅 비용, 직원 급여 등을 포함한 정확한 예산을 설정하고, 이를 지속해서 모니터링하여 예산 계획을 준수하도록 합니다.

또한, 시장의 변화나 예상치 못한 상황에 대비하여 유연하게 예산을 조정할 수 있는 계획을 마련합니다.

재무 계획과 예산 관리는 창업 및 비즈니스 운영의 핵심 요소입니다. 수익성, 비용 효율성, 현금 흐름의 안정성을 보장하는 체계적인 재무 계획은 비즈니스의 성공을 위한 견고한 기반을 마련합니다. 실무적인 관점에서 이러한 계획은 사업의 장기적인 성장과 발전을 위해 필수적입니다.

05
정부 지원사업

정부 지원사업은 창업 초기 단계에서 매우 중요한 역할을 합니다. 이러한 프로그램들은 자금, 멘토링, 네트워킹, 교육, 사무 공간지원 등 다양한 형태로 창업자들을 지원합니다. 특히 자본이 부족한 초기 창업자들에게는 필수적인 자원이 될 수 있습니다.

정부 지원 프로그램의 종류

보조금 및 지원금 프로그램 : 창업자에게 초기 사업 비용을 지원하기 위한 보조금이나 지원금을 제공합니다. 이러한 프로그램은 일반적으로 특정 조건을 충족하는 창업자에게 제공됩니다.

저리 대출 프로그램 : 정부가 보증하는 저리 대출을 통해 창업 자본을 확보할 수 있는 프로그램입니다. 이는 은행 대출에 비해 낮은 이자율로 자금을 조달할 수 있게 해줍니다.

멘토링 및 교육 프로그램 : 창업에 필요한 기술, 경영, 마케팅 등에 대한 멘토링과 교육을 제공합니다. 이는 창업자의 역량을 강화하고, 사업의 성공 가능성을 높여줍니다.

네트워킹 및 인큐베이팅 프로그램 : 창업자들에게 사무 공간, 네트워킹 기회, 인큐베이팅 서비스를 제공합니다. 이는 창업자들이 사업 아이디어를 구체화하고, 시장에 진입하는 데 도움을 줍니다.

다양한 창업 지원 프로그램이 운영되고 있기 때문에, 관련 지원 프로그램의 최신 정보를 확보하기 위한 노력이 필요합니다. 정부 지원사업은 통상적으로 서류심사와 발표심사를 통해 최종 선정이 되며, 경쟁을 통한 심사 과정이 진행되기 때문에 서류심사에 신청 시 사업공고문을 확인하여 결격사유와 가점 사항을 확인하고 가점을 받을 수 있도록 사전에 준비하는 노력이 필요합니다.

실무적인 관점에서의 정부 지원 활용

실무적인 관점에서 정부 지원 프로그램을 활용하는 것은 다음과 같은 점을 고려해야 합니다:

적합한 프로그램 선정 : 사업 분야, 규모, 단계 등에 맞는 프로그램을 선정하는 것이 중요합니다. 각 프로그램의 조건과 혜택을 면밀히 검토해야 합니다.

신청 준비 : 지원 신청을 위해 필요한 서류 준비, 사업 계획서 작성 등의 준비 과정에 주의를 기울여야 합니다. 세부적인 요건을 충족하는 것이 중요합니다.

지속적인 관리와 보고 : 대부분의 정부 지원 프로그램은 사업 진행 상황에 대한 정기적인 보고를 요구합니다. 프로젝트의 진행 상황을 체계적으로 관리하고, 정해진 기한 내에 정확한 보고를 해야 합니다.

정부 지원사업과 창업 지원 프로그램은 창업자에게 중요한 자원을 제공합니다. 이러한 프로그램을 효과적으로 활용하려면 적합한 프로그램을 선정하고, 신청 과정을 철저히 준비하며, 지원받은 자원을 효율적으로 관리하는 것이 필요합니다. 이는 창업 초기의 위험을 줄이고, 사업의 성공 가능성을 높이는 데 크게 기여할 수 있습니다.

5.1 정부 지원사업의 이해

정부 지원사업은 정부가 창업을 활성화하고, 창업 기업의 성장을 지원하기 위해 시행하는 사업입니다. 정부 지원사업은 크게 창업 기반 조성 사업과 창업기업 육성 사업으로 구분할 수 있습니다.

창업 기반 조성 사업은 창업 생태계를 조성하고, 창업 인프라를 구축하기 위한 사업입니다. 예를 들어, 창업 지원기관의 운영 지원, 창업 교육 및 컨설팅 지원, 창업 공간 및 시설 지원 등이 있습니다. 창업기업 육성 사업은 창업 기업의 성장을 지원하기 위한 사업입니다. 예를 들어, 창업 자금 지원, 판로 지원, 해외 진출 지원 등이 있습니다.

정부 지원사업은 다음과 같은 목적을 가지고 있습니다.

창업 활성화 : 정부 지원사업을 통해 창업 인구를 증가시키고, 창업 생태계를 조성하여 창업 분위기를 확산시키고자 합니다.

창업기업 육성 : 정부 지원사업을 통해 창업 기업의 성장을 지원하고, 일자리 창출을 촉진하고자 합니다.

사회 발전 기여 : 정부 지원사업을 통해 창업 기업을 통해 사회 문제를 해결하고, 국민 삶의 질을 향상하고자 합니다.

정부 지원사업은 다음과 같은 기준으로 분류할 수 있습니다.

대상 : 창업자의 경력, 업종, 지역 등에 따라 분류할 수 있습니다. 예를 들어, 청년 창업 지원사업, 여성 창업 지원사업, 지역 창업 지원사업 등이 있습니다.

지원 내용 : 지원 내용에 따라 분류할 수 있습니다. 예를 들어, 창업 자금 지원, 판로 지원, 해외 진출 지원 등이 있습니다.

지원 형태 : 지원 형태에 따라 분류할 수 있습니다. 예를 들어, 보조금, 융자, 컨설팅 등이 있습니다.

정부 지원사업의 예시는 다음과 같습니다.

창업 기반 조성 사업

창업 지원기관 운영 지원 : 창업 지원기관의 운영을 지원하여 창업 인프라를 구축하는 사업입니다. 예를 들어, 창업 지원기관의 운영비 지원, 창업지원 프로그램 개발 지원 등이 있습니다.

창업 교육 및 컨설팅 지원 : 창업 교육 및 컨설팅을 제공하여 창업 역량을 강화하는 사업입니다. 예를 들어, 창업 교육 프로그램 운영 지원, 창업 컨설팅 지원 등이 있습니다.

창업 공간 및 시설 지원 : 창업 공간 및 시설을 제공하여 창업 환경을 개선하는 사업입니다. 예를 들어, 창업 공간 임대료 지원, 창업 시설 설치비 지원 등이 있습니다.

창업기업 육성 사업

창업 자금 지원 : 창업 자금을 지원하여 창업 기업의 초기 자금 조달을 지원하는 사업입니다. 예를 들어, 창업 자금 융자, 창업 자금 보조금 등이 있습니다.

판로 지원 : 창업 기업의 판로를 지원하여 매출 증대를 지원하는 사업입니다. 예를 들어, 박람회 참가 지원, 온라인 판로 지원 등이 있습니다.

해외 진출 지원 : 창업 기업의 해외 진출을 지원하여 글로벌 경쟁력을 강화하는 사업입니다. 예를 들어, 해외 진출 컨설팅 지원, 해외 전시회 참가 지원 등이 있습니다.

정부 지원사업은 대부분 공모 방식으로 운영됩니다. 공모를 통해 신청서를 접수하고, 서류심사, 발표심사 등을 거쳐 최종 선정되며, 정부 지원사업의 신청 및 선정 절차는 다음과 같습니다.

공고 확인 : 정부 지원사업 공고를 확인하고, 사업에 대한 정보를 숙지합니다.

신청서 작성 : 공고에 따라 신청서를 작성합니다.

서류 제출 : 신청서를 제출 기간 내에 제출합니다.

서류심사 : 신청서를 바탕으로 서류심사를 진행합니다.

발표심사 : 서류심사 합격자에 대해 발표심사를 진행합니다.

최종 선정: 발표심사 결과를 바탕으로 최종 선정합니다.

5.2 창업 지원 프로그램 활용하기

창업 지원사업은 대상, 지원 내용, 지원 형태 등이 다양합니다. 따라서 자신의 창업 상황에 맞는 사업을 찾는 것이 중요합니다.

예를 들어, 청년 창업자라면 청년 창업 지원사업을, 여성 창업자라면 여성 창업 지원사업을, 지역 창업자라면 지역 창업 지원사업을 찾는 것이 좋습니다.

정부 지원사업은 공모 방식으로 운영됩니다. 따라서 사업에 대한 정보를 충분히 숙지하고, 신청서를 작성해야 합니다.

사업 공고, 사업 안내서, 사업 설명회 등을 통해 사업에 대한 정보를 확인할 수 있습니다. 대부분의 정부 지원사업은 사업 공고문에 서류심사와 발표심사의 배점표가 포함되어 있습니다. 신청서와 발표 자료를 작성하실 때 반드시 배점표를 확인하여, 배점이 높은 항목 위주로 이해하기 쉽고, 근거를 기반으로 자료를 작성하는 노력이 필요합니다.

정부 지원사업은 서류심사를 거쳐 선정됩니다. 따라서 신청서를 철저히 준비하는 것이 중요합니다. 신청서는 주어진 양식에 적합하게 작성하고, 인포그래픽 등을 활용하여 직관적으로 이해하기 쉬우며, 신청 예산으로 충분히 사업기간 내에 완수가 가능한 사업계획 작성이 필요합니다.

대부분의 정부 지원사업은 발표심사를 거쳐 선정됩니다. 따라서 발표심사에 대비하는 것도 중요합니다. 발표심사에서는 창업 아이템, 사업 계획, 사업 역량 등을 발표해야 합니다. 따라서 발표 연습을 통해 발표력을 향상하는 것이 좋습니다. 또한 발표 자료를 작성할 때 목차가 별도로 제공되지 않으면, 배점표를 활용하여 발표 자료의 목차를 구성하는 것이 평가위원들에게 좋은 점수를 받는 방법이 되기도 합니다.

정부 지원프로그램을 효과적으로 활용하기 위한 팁은 다음과 같습니다.

정부 지원사업은 공모 방식으로 운영되므로, 사업 공고를 미리 확인하고, 준비를 시작하는 것이 중요합니다. 사업 공고는 보통 2~3개월 전에 공지됩니다. 따라서 공고를 미리 확인하고, 준비 기간을 충분히 확보하는 것이 좋습니다. 또한 직전년도 사업공고를 미리 확인하여 가점 사항 등의 정보를 미리 확인할 수 있습니다.

정부 지원사업은 담당 부처나 기관에서 운영합니다. 따라서 사업 담당자에게 문의하여 도움을 받을 수 있습니다. 사업 담당자에게 문의하면 사업에 대한 정보를 얻을 수 있고, 신청서 작성 등에 대한 기본적인 도움을 받을 수 있습니다.

정부 지원사업은 경쟁이 치열합니다. 따라서 다른 창업자와 협력하여 경쟁력을 높이는 것도 좋은 방법입니다. 다른 창업자와 협력하면 사업 아이템이나 사업 계획을 보완할 수 있고, 공동으로 사업을 추진할 수도 있습니다.

정부 지원사업은 창업 초기 기업에 중요한 지원책입니다. 정부 지원사업을 효과적으로 활용하여 창업 성공의 가능성을 높이시기 바랍니다. 지원기관에서는 창업기업에 도움이 되는 다양한 지원사업 및 선정된 사업에 대한 후속 지원사업을 진행하기 때문에 지원기관과 원활한 유대관계를 형성하는 것이 중요합니다.

5.3 지원사업 신청서 작성 요령

창업에 있어서 지원사업을 선택하는 것은 중요한 결정입니다. 적합한 지원사업을 선정함으로써 필요한 자금, 멘토링, 네트워킹, 시설 접근 등 다양한 혜택을 최대한 활용할 수 있습니다. 이는 창업 초기에 사업의 기반을 단단히 다지는 데 크게 기여합니다.

지원사업 선정 전략

사업 목표와 일치성 검토 : 창업 아이디어와 사업 목표가 해당 지원사업의 목적과 잘 부합하는지 검토합니다. 사업의 특성과 단계에 맞는 프로그램을 선택하는 것이 중요합니다.

조건 및 요구사항 파악 : 각 지원사업의 선정 조건, 필요 서류, 기한 등을 정확히 파악합니다. 이는 신청 준비 과정에서 시간과 자원을 효율적으로 사용하는 데 도움이 됩니다.

객관적인 관점에서의 평가: 지원사업 서류를 작성하고 평가위원의 입장에서 다시 지원사업 신청서를 검토하고, 지인들에게 신청문시에 대힌 피드백을 받아 객관적인 입장에서 근거와 논리를 포함한 지원서를 작성하는 것이 중요합니다.

지원사업 신청서 작성 팁

시장성 : 시장과 고객이 원하는 제품과 서비스를 개발한다는 내용이 필요합니다. 단순히 창업자가 만들고 싶은 제품과 서비스가 아니라 개발 이후 시장에서 판매가 되어 수익을 창출할 수 있다는 내용이 근거자료와 함께 논리적으로 표현되어야 합니다.

사업화를 위한 노력 : MVP 제작을 통해 해당 근거를 보강하는 노력이 필요합니다. 단순한 아이디어 차원이 아니라 본 사업의 시장성을 확인하기 위해 시장조사, MVP 구현을 통한 필드 테스트 등을 진행하였다는 내용은 사업에 대한 의지와 사업화 가능성을 평가하는 중요한 포인트가 됩니다.

우수한 팀 역량 : 아무리 좋은 아이디어와 수요검증을 했다 하더라도 실제 제품과 서비스 개발을 하기 위해서는 우수한 팀원의 역량과 개발 능력이 필요할 것입니다. 사업화 하고자

하는 제품 및 서비스를 구현할 수 있는 팀의 역량을 포함해야 합니다.

확장성 : 사업화 아이템은 관련 시장이 확대되고 있거나 각종 자원과 자본이 부족한 창업기업이 진출할 수 있는 시장을 목표로 하는 것이 바람직하며, 개발 이후 판매할 수 있는 네트워크를 보유하고 있고 국내뿐만 아니라 글로벌 시장으로 진출할 수 있는 아이템은 선정 가능성이 더 커집니다.

실현 가능성 : 사업기간 내에 지원되는 예산으로 개발이 가능한 아이템만 지원사업에 선정이 된다는 것을 명심해야 합니다.

차별성 및 독창성 : 중학생도 이해할 수 있는 수준으로 자료를 작성하는 것이 중요하며, 경쟁사와 비교 분석을 통해 창업기업 아이템의 차별성과 독창성을 강조하는 것이 중요합니다.

자료의 객관성 : 자료의 객관성을 확보하기 위해서는 시장분석 자료 및 논문 자료의 출처를 명확히 밝히고, 이를 근거로 삼아야 하며, 가급적 정량적인 형식으로 작성하는 것이 바람직합니다.

06
팀 빌딩과 조직 문화

성공적인 창업과 사업 운영을 위해서는 강력하고 효과적인 팀 빌딩이 필수적입니다. 팀 구성원 각자의 역량과 경험이 조화롭게 결합할 때, 사업은 더욱 발전하고 혁신적인 성과를 낼 수 있습니다. 팀 빌딩은 단순한 인력 채용을 넘어, 올바른 인재를 적재적소에 배치하고 그들의 성장을 지원하는 과정을 포함합니다.

팀 빌딩 전략

역량과 문화의 균형 : 팀 구성원을 선발할 때는 기술적 역량뿐만 아니라 조직 문화와의 부합성도 중요합니다. 팀원들이 조직의 가치와 비전을 공유할 때 더 강력한 팀워크가 형성됩니다.

다양성의 존중과 활용 : 다양한 배경과 전문성을 가진 팀원들을 포용함으로써 창의적이고 혁신적인 아이디어를 장려합니다. 다양성은 팀의 강점이 될 수 있습니다.

지속적인 교육과 개발 : 팀원들의 지속적인 교육과 개인적 발전을 지원합니다. 이는 직원의 만족도를 높이고 장기적인 팀 안정성을 제공합니다.

조직 문화의 중요성

강력한 조직 문화는 팀원들이 목표에 헌신하고, 협력하며, 창의적으로 문제를 해결하는 데 도움을 줍니다. 조직 문화는 회사의 정체성을 형성하고, 내부의 의사소통 방식과 결정 메커니즘에 영향을 미칩니다.

조직 문화 구축 전략

명확한 가치와 비전 제시 : 조직의 핵심 가치와 비전을 명확히 정의하고, 이를 팀원들과 공유합니다. 조직의 목표와 방향성을 모두가 이해하고 추구할 때 강력한 문화가 형성됩니다.

개방적 의사소통 장려 : 팀원들이 자유롭게 의견을 나누고, 서로를 존중하는 문화를 조성합니다. 개방적인 의사소통은 협력과 신뢰를 증진합니다.

보상과 인정 시스템 구축 : 성과와 기여도에 따라 팀원들을 공정하게 보상하고 인정합니다. 이는 동기 부여와 헌신을 강화합니다.

애플은 창업 초기부터 팀 빌딩에 집중하여 강력한 팀을 구축했습니다. 애플의 창업자인 스티브 잡스는 팀원들에게 자율성과 책임감을 부여하여, 팀원들의 창의성과 혁신성을 끌어냈습니다. 또한, 애플은 팀 워크숍과 훈련을 통해 팀원들의 협력과 소통 능력을 향상했습니다. 이러한 팀 빌딩 노력의 결과로 애플은 세계 최고의 기술 기업으로 성장할 수 있었습니다.

구글은 '혁신'과 '창의성'을 바탕으로 조직 문화를 형성했습니다. 구글은 '20% 시간'이라는 제도를 통해 직원들에게 자유롭게 아이디어를 실험하고, 새로운 것을 창출할 기회를 제공합니다. 이러한 조직 문화는 구글이 세계 최고의 기술 기업으로 성장하는 데 기여했습니다.

효과적인 팀 빌딩과 조직 문회 구축은 창업의 성공을 위한 필수 요소입니다. 각 팀원의 역할과 책임을 명확히 하고, 공유된 가치와 비전을 바탕으로 긍정적인 조직 문화를 조성함으로써 창업기업은 성장과 발전을 이룰 수 있습니다.

6.1 효과적인 팀 구축 전략

성공적인 창업을 위한 팀 구축은 다양한 역량과 기술을 갖춘 인재를 모으고, 효과적으로 조직을 운영하는 것을 포함합니다. 이는 사업의 성장과 혁신을 주도하며, 경쟁력 있는 기업 문화를 형성하는 데 기여합니다.

채용 공고 작성 및 게시

명확하고 구체적인 채용 공고 : 채용하고자 하는 직무의 명확한 역할과 책임, 필요한 기술과 경험, 회사 문화와 비전을 명확하게 기술합니다. 이는 적합한 후보자를 유인하는 데 중요합니다.

적절한 플랫폼 선택 : 채용 공고는 LinkedIn, 잡코리아, 사람인과 같은 전문 채용 사이트, 업계 관련 포럼, 소셜 미디어 등 다양한 플랫폼에 게시합니다. 대상 직무와 관련된 전문 포럼이나 네트워크를 활용하는 것도 효과적입니다.

좋은 팀원 찾기

네트워킹 활용 : 업계 행사, 세미나, 워크숍, 해커톤 등과 같은 행사에 참여하여 네트워킹을 강화합니다. 이러한 행사들은 열정적이고 유능한 인재를 만날 좋은 기회를 제공합니다.

추천 및 인맥 활용 : 기존의 비즈니스 네트워크나 개인적인 인맥을 통한 추천도 중요한 인재 채용 방법입니다. 이는 후보자의 신뢰성과 적합성을 사전에 어느 정도 검증할 수 있게 해줍니다.

팀 구성원 채용 절차

면접과 평가 프로세스 : 면접 과정은 후보자의 기술적 능력뿐만 아니라 팀 문화와의 적합성을 평가하는 데 중요합니다. 구조화된 인터뷰, 실무적인 평가, 팀 멤버와의 상호작용 평가 등을 포함합니다.

문화적 적합성 평가 : 후보자가 회사의 가치와 문화에 부합하는지 평가합니다. 이는 장기적인 팀워크와 조직 내 조화를 위해 중요합니다.

온보딩 프로세스 : 채용된 팀원이 조직 내에서 빠르게 적응하고 효과적으로 기여할 수 있도록 체계적인 온보딩 프로세스를 마련합니다.

스타트업의 채용 전략 사례: 한 스타트업은 개발자, 디자이너, 마케팅 전문가를 모집하기 위해, 관련 특성화 고등학교와 MOU를 세결하여 학생들과 함께 산학협력 프로젝트를 진행하고, 함께 프로젝트를 진행한 인력들의 업무능력과 태도를 확인한 후 현장실습 과정 이후 전원을 채용하기로 하였습니다. 채용공고를 통해 짧은 기간 동안 지원자의 업무능력과 태도를 확인하는 것은 쉽지 않기 때문에 많은 창업기업들이 특성화 고등학교 및 대학교와 산학협력 프로젝트를 통해 창업기업에 적합한 인재를 선발하고 있습니다.

효과적인 팀 구축은 창업의 성공을 위한 필수적인 과정입니다. 적절한 채용 공고 작성, 효과적인 후보자 탐색, 체계적인 면접 및 평가 프로세스를 통해 최적의 팀을 구성할 수 있습니다. 이는 사업의 비전을 실현하고 지속 가능한 성장을 끌어내는 데 중요한 역할을 합니다.

6.2 조직 문화의 중요성

조직 문화는 기업 내에서 공유되는 가치, 신념, 태도, 행동양식을 말합니다. 이는 회사의 정체성을 형성하고, 직원들의 행동과 의사결정에 영향을 미칩니다. 강력하고 긍정적인 조직 문화는 직원 만족도, 팀워크, 생산성 향상 및 장기적인 회사 성공의 핵심적인 역할을 합니다.

조직 문화 형성의 중요 요소

공유된 가치와 비전 : 조직의 핵심 가치와 비전을 명확히 하고 이를 전 직원과 공유합니다. 이는 조직의 목표와 방향성을 제공하며, 직원들이 일체감을 느끼게 합니다.

개방적인 커뮤니케이션 : 투명하고 개방적인 커뮤니케이션을 장려합니다. 이는 조직 내 신뢰를 구축하고, 직원들의 참여와 협력을 촉진합니다.

다양성과 포용성 : 다양한 배경과 관점을 존중하며, 포용적인 환경을 조성합니다. 이는 창의적인 아이디어와 혁신을 촉진합니다.

지속적인 학습과 발전 : 직원들의 개인적 및 전문적 성장을 지원합니다. 교육 프로그램, 경력 개발 기회, 정기적인 피드백 등을 통해 이를 실현합니다.

한국의 대표적인 스타트업 중 하나인 토스는 '자율과 책임', '

소통 중시', '최고 수준의 정보 공유'를 핵심 가치로 삼고 있습니다. 토스 조직 문화는 토스의 성공에 중요한 역할을 한 요인 중 하나입니다. 토스 조직 문화는 다른 스타트업들에도 좋은 본보기가 될 수 있을 것으로 기대됩니다.

1. 자율과 책임

토스는 구성원들에게 높은 수준의 자율성을 부여하고 있습니다. 구성원들은 자신의 업무에 대한 의사결정을 할 수 있는 권한을 갖고 있으며, 실패에 대한 두려움 없이 도전할 수 있는 환경에서 일하고 있습니다. 이러한 자율성은 구성원들의 창의성과 혁신을 촉진하는 데 중요한 역할을 하고 있습니다.

2. 소통 중시

토스는 구성원들 간의 소통을 중시합니다. 구성원들은 서로의 의견을 자유롭게 나눌 수 있는 환경에서 일하고 있습니다. 이러한 소통은 구성원들 간의 협력과 이해를 높이는 데 중요한 역할을 하고 있습니다.

3. 최고 수준의 정보 공유

토스는 구성원들에게 최고 수준의 정보를 공유하고 있습니다. 구성원들은 회사의 모든 정보에 접근할 수 있으며, 이를 바탕으로 의사결정을 할 수 있습니다. 이러한 정보 공유는 구성원들의 업무 효율성을 높이고, 회사의 의사결정을 합리적으로 만드는 데 중요한 역할을 하고 있습니다.

토스 창업자인 박지훈 대표는 토스 조직 문화의 중요성을 누구보다 잘 알고 있으며, 이를 실현하기 위해 노력해 왔습니다. 또한, 토스 구성원들은 토스 조직 문화를 적극적으로 받아들였으며, 이를 실천하기 위해 노력해 왔습니다.

토스 조직 문화는 스타트업뿐만 아니라 모든 조직에서 성공적인 조직 문화를 형성하기 위한 좋은 사례가 될 수 있습니다. 토스 조직 문화의 특징을 이해하고, 이를 조직에 맞게 적용한다면, 구성원들의 창의성과 혁신을 촉진하고, 조직의 성공을 이끌 수 있을 것입니다.

6.3 리더십과 팀 관리

효과적인 리더십은 창업 과정에서 팀을 성공으로 이끄는 핵심 요소입니다. 리더는 팀원들의 동기 부여, 목표 설정, 의사 결정, 갈등 해결 등에서 중요한 역할을 하며, 팀의 효율성과 생산성을 높이는 데 기여합니다.

효과적인 리더십 전략

비전과 목표 설정 : 명확한 비전과 구체적인 목표를 설정하고, 이를 팀원들과 공유합니다. 이는 팀이 일관된 방향으로 나아가도록 도와줍니다.

개방적이고 투명한 커뮤니케이션: 팀원들과의 개방적이고 투명한 커뮤니케이션을 장려합니다. 의견 교환, 피드백, 의사결정 과정에서의 투명성이 중요합니다.

갈등 관리와 중재 : 팀 내 갈등을 효과적으로 관리하고 해결합니다. 다양한 관점을 이해하고 공정한 해결책을 찾는 것이 중요힙니다.

개인적인 관심과 지원 : 각 팀원의 개인적인 성장과 발전에 관심을 가지고 필요한 지원을 제공합니다. 이는 팀원들의 만족도와 헌신도를 높입니다.

팀 관리는 조직의 성공을 위해 필수적인 요소입니다. 팀의 생산성, 협력, 그리고 동기부여를 증진하는 것은 조직의 목표 달성과 직원들의 만족도 향상에 직접적인 영향을 미칩니다.

팀 관리 전략

역할과 책임의 명확한 정의 : 각 팀원의 역할과 책임을 분명히 하여, 팀 내에서의 기대치를 설정합니다. 이는 업무의 효율성을 높이고 각 팀원이 자신의 업무에 집중할 수 있게 합니다.

목표 설정과 추적 : 단기적 및 장기적 목표를 설정하고, 이를 달성하기 위한 구체적인 계획을 수립합니다. 정기적인 성과 평가를 통해 진행 상황을 확인하고 필요한 조정을 합니다.

효과적인 커뮤니케이션 : 팀원들 간의 개방적이고 투명한 커뮤니케이션을 장려합니다. 이는 팀 내에서의 신뢰를 구축하고, 협력을 증진합니다.

동기부여와 인정 : 팀원들의 노력과 성과를 인정하고 칭찬합니다. 이는 팀원들의 동기부여를 증진하고, 긍정적인 업무 환경을 조성합니다.

효과적인 팀 관리는 조직의 목표 달성과 팀원들의 만족도 향상에 핵심적인 역할을 합니다. 명확한 목표 설정, 효과적인 커뮤니케이션, 동기부여 및 인정, 그리고 지속적인 팀원의 성장 지원은 강력하고 생산적인 팀을 구축하는 데 필수적입니다.

07
제품 개발과 사용자 경험

제품 개발은 고객의 요구를 충족시키는 제품을 개발하는 과정을 의미합니다. 사용자 경험(User Experience, UX)은 제품을 사용하는 과정에서 사용자가 느끼는 만족도를 의미합니다.

제품 개발과 사용자 경험은 밀접한 관계를 맺고 있습니다. 효과적인 제품 개발을 위해서는 사용자 경험을 고려해야 하며, 사용자 경험을 향상하기 위해서는 제품 개발의 과정에 사용자를 참여시키는 것이 중요합니다.

제품 개발의 중요성

제품 개발은 시장의 요구를 충족시키고 경쟁 우위를 확보하는 데 중요합니다. 이 과정에서 혁신, 사용자 요구의 이해, 효과적인 디자인 및 개발 전략이 핵심적인 역할을 합니다. 제품이 시장과 사용자에게 어떻게 받아들여지는지가 회사의 성공을 좌우합니다.

제품 개발 전략

시장 조사 및 사용자 연구: 목표 시장과 사용자의 요구를 파악합니다. 시장 조사와 사용자 인터뷰, 설문조사 등을 통해 제품이 해결해야 할 문제와 사용자의 기대를 이해합니다.

최소 기능 제품 (Minimum Viable Product, MVP) 개발 : 제품의 핵심 기능에 집중하여 최소 기능 제품(MVP)을 개발합니다. 이를 통해 초기 시장 반응을 빠르게 파악하고, 제품을 지속해서 개선할 수 있습니다.

사용자 피드백의 적극적 활용 : 사용자 피드백을 수집하고 이를 제품 개선에 적극적으로 반영합니다. 사용자의 의견을 경청하고, 이를 제품 개발 과정에 통합합니다.

반복적인 개선 및 업데이트 : 제품을 시장에 출시한 후에도 지속해서 성능을 개선하고, 새로운 기능을 추가합니다. 시장의 변화와 사용자의 요구에 신속하게 대응합니다.

사용자 경험의 중요성

사용자 경험(UX)은 제품 성공의 결정적인 요소입니다. 사용자가 제품을 사용하면서 느끼는 만족도와 편의성이 사용자의 충성도와 제품의 시장 성공을 결정합니다.

사용자 경험 향상 전략

사용자 중심의 디자인 : 사용자의 요구와 행동을 이해하고, 이를 제품 디자인에 반영합니다. 사용자의 경험을 최우선으로 고려하여 제품을 설계합니다.

사용성 테스트 : 다양한 사용자 그룹을 대상으로 사용성 테스트를 실시합니다. 이는 제품의 직관성, 접근성, 편의성을 평가하는 데 도움이 됩니다.

지속적인 사용자 피드백 수집 및 분석 : 사용자 피드백을 지속해서 수집하고 분석하여, 사용자 경험을 개선합니다. 사용자의 요구와 선호가 시간에 따라 변화하는 것에 주의를 기울여야 합니다.

7.1 MVP (최소 기능 제품) 개발과 테스트

최소 기능 제품(Minimum Viable Product, MVP) 개발은 제품이나 서비스의 핵심 기능에 집중하여 초기 버전을 빠르게 출시하는 전략입니다. 이를 통해 시장 반응을 초기 단계에서 파악하고, 자원을 효율적으로 관리하며, 제품 개발 과정을 가속할 수 있습니다.

MVP 개발 전략

핵심 기능의 식별 : 제품이나 서비스의 핵심 가치를 제공하는 기능을 식별합니다. 이는 제품 개발의 초전을 명확히 하고, 필요한 최소한의 기능에 집중하게 합니다.

빠른 개발과 반복 : MVP는 빠르게 개발하고 시장에 출시하여 사용자 피드백을 수집합니다. 이를 통해 제품을 지속해서 개선하고, 사용자의 요구에 더 잘 부합하도록 만듭니다.

피드백의 적극적 수집 및 반영 : 초기 사용자로부터의 피드백을 적극적으로 수집하고, 이를 제품 개선에 반영합니다. 사용자의 의견은 향후 제품 개발 방향을 결정하는 데 중요한 역할을 합니다.

MVP 테스트 방법

사용성 테스트 : 실제 사용자를 대상으로 한 사용성 테스트를 실시하여, 제품의 인터페이스와 사용자 경험을 평가합니다.

시장 반응 분석 : MVP 출시 후 시장의 반응을 분석합니다. 이는 제품의 시장 수용성과 잠재적인 성공 가능성을 평가하는 데 도움이 됩니다.

데이터 기반 의사결정 : 사용자 행동 데이터, 피드백, 시장 분석 결과 등을 통해 데이터 기반 의사결정을 합니다. 이는 제품 개발의 방향성을 결정하는 데 중요한 기준이 됩니다.

페이스북

페이스북은 MVP 개발을 통해 성공한 대표적인 기업입니다. 페이스북은 초기에는 단순한 친구 관계 관리 기능만을 제공하는 MVP를 개발하여 사용자의 요구를 파악했습니다. 이후 사용자의 요구를 반영하여 기능을 추가해 나가며, 오늘날 세계 최대의 소셜 네트워크 서비스로 성장할 수 있었습니다.

우버

우버 역시 MVP 개발을 통해 성공한 기업입니다. 우버는 초기에는 단순한 차량 호출 기능만을 제공하는 MVP를 개발하여 시장의 가능성을 검증했습니다. 이후 사용자의 요구를 반영하여 기능을 추가해 나가며, 오늘날 세계 최대의 차량 공유 서비스로 성장할 수 있었습니다.

실무적인 관점에서의 MVP 개발

목표 사용자 정의 : 목표 사용자 그룹을 명확히 정의하고, 이들의 필요와 선호를 이해합니다. 이는 MVP 개발 시 중요한 기준이 됩니다.

자원 관리와 우선순위 설정 : 제한된 자원을 가장 효과적으로 사용하기 위해 개발 우선순위를 설정합니다. 핵심 기능에 집중하고, 추가 기능은 후속 개발 단계로 미룹니다.

유연한 개발 접근 방식 : 시장의 변화와 사용자 피드백에 유연하게 대응할 수 있는 개발 접근 방식을 채택합니다. 이를 통해 빠르게 시장 변화에 적응하고 제품을 개선할 수 있습니다.

MVP 개발과 테스트는 제품 개발 과정에서 핵심적인 단계입니다. 이는 제품이 시장의 요구와 사용자의 기대에 부합하는지를 빠르게 평가하고, 효율적으로 제품을 개선할 수 있는 기회를 제공합니다.

7.2 효과적인 사용자 피드백 받기

사용자 피드백은 제품 또는 서비스 개선에 필수적입니다. 이는 실제 사용자의 경험과 요구를 반영하고, 제품을 시장에 적합하게 조정하는 데 도움이 됩니다.

사전에 준비해야 하는 활동

피드백의 목적 설정 : 사용자 피드백을 수집하는 목적을 명확하게 설정하는 것이 중요합니다. 목적에 따라 수집해야 할 피드백의 종류와 방법이 달라지기 때문입니다. 예를 들어, 제품의 사용성을 개선하기 위한 목적이라면, 사용자 인터뷰나 설문 조사를 통해 사용자의 사용 경험을 파악하는 것이 효과적입니다.

피드백 수집 대상 선정 : 피드백을 수집할 대상을 선정할 때
는 제품의 주요 사용자를 대상으로 선정하는 것이 중요합니
다. 주요 사용자의 요구를 반영하지 못한다면, 제품의 사용성
을 개선하기 어려울 수 있습니다.

피드백 수집 방법 결정 : 피드백을 수집할 방법을 결정할 때
는 제품의 특성과 피드백의 목적을 고려하여 적절한 방법을
선택해야 합니다. 예를 들어, 제품의 사용성을 개선하기 위한
목적이라면, 사용자 인터뷰나 설문 조사를 통해 사용자의 사
용 경험을 파악하는 것이 효과적입니다.

효과적인 사용자 피드백 받기 위한 활동

온라인 설문 조사 : 사용자에게 제품 사용 경험, 개선점, 추
가 기능 요구사항에 대한 질문을 하는 온라인 설문 조사를
실시합니다. Google Forms, SurveyMonkey 같은 플랫폼을 활
용할 수 있습니다.

인터뷰 및 포커스 그룹 : 사용자 인터뷰 또는 소규모 그룹
토의를 통해 직접적인 피드백을 얻습니다. 이 방법은 사용자
의 상세한 의견과 제품에 대한 깊이 있는 통찰력을 얻는 데
유용합니다.

A/B 테스트 : A/B 테스트는 두 가지 버전의 제품을 비교하여

사용자의 반응을 측정하는 방법입니다. A/B 테스트를 통해 제품의 디자인이나 기능에 대한 사용자의 선호도를 파악할 수 있습니다.

사용자 행동 데이터 분석 : 웹사이트나 앱의 사용자 행동 데이터를 분석하여 사용자의 선호, 사용 패턴, 문제점 등을 파악힙니다.

소셜 미디어 모니터링 : 소셜 미디어 및 온라인 커뮤니티에서의 사용자 의견과 토론을 모니터링합니다. 이는 공개적인 플랫폼에서의 솔직한 사용자 의견을 파악하는 데 유용합니다.

베타 테스팅 프로그램 : 제한된 사용자 그룹에게 초기 버전의 제품을 제공하고 피드백을 수집합니다. 베타 테스터들은 제품의 실제 사용 환경에서의 성능과 반응을 평가하는 데 도움을 줍니다.

피드백 수집 시 주의사항

객관성 유지 : 피드백을 수집할 때는 객관적인 관점을 유지해야 합니다. 개인적인 의견이나 선입견이 피드백 해석에 영향을 미치지 않도록 주의합니다.

다양한 사용자 샘플링 : 한정된 유형의 사용자에게만 피드백을 받으면 왜곡된 결과를 얻을 수 있습니다. 다양한 배경을 가진 사용자들로부터 피드백을 수집하는 것이 중요합니다.

명확한 질문 설정 : 사용자에게 피드백을 요청할 때는 명확

하고 구체적인 질문을 제시해야 합니다. 너무 포괄적이거나 모호한 질문은 유용한 피드백을 얻기 어렵게 만듭니다.

구체적이고 상세한 피드백 유도 : "이 제품을 좋아하나요?"와 같이 너무 포괄적인 질문보다는 구체적인 경험과 감정에 관한 질문을 합니다.

사용자 피드백을 효과적으로 수집하고 활용하는 것은 제품이나 서비스를 시장에 맞게 조정하고 고객의 요구를 충족시키는 데 중요합니다. 이를 위해 객관적인 분석, 다양한 의견의 수렴, 그리고 지속적인 개선을 위한 노력이 필요합니다.

7.3 품질 관리와 지속적인 개선

품질 관리는 제품이나 서비스가 일관되고 높은 수준의 품질을 유지하도록 보장하는 과정입니다. 이는 고객 만족도를 높이고, 브랜드의 신뢰성을 구축하며, 경쟁력을 강화하는 데 중요한 역할을 합니다.

품질 관리 방법

표준 설정 : 제품이나 서비스의 품질 기준을 명확히 설정합니다. 이 표준은 제품의 성능, 안정성, 내구성 등을 포함할 수 있습니다.

지속적인 모니터링 : 제품이나 서비스의 품질을 지속해서 모니터링하며, 기준에 부합하는지 확인합니다.

피드백과 개선 : 고객 피드백과 시장 트렌드를 분석하여 제품이나 서비스의 개선점을 파악하고, 지속해서 개선합니다.

일본의 자동차 제조업체인 도요타는 품질 관리와 지속적인 개선을 통해 세계적인 자동차 기업으로 성장했습니다. 도요타는 품질 목표를 설정하고, 이를 달성하기 위한 품질 보증과 품질 관리 활동을 체계적으로 수행하고 있습니다. 또한, 고객의 목소리를 경청하고, 시장의 변화를 모니터링하여, 지속해서 제품의 품질을 개선하고 있습니다. 이러한 노력을 통해 도요타는 세계 최고의 품질로 인정받고 있습니다.

미국의 정보 기술 기업인 애플은 제품의 뛰어난 품질과 디자인으로 유명합니다. 애플은 품질 목표를 설정하고, 이를 달성하기 위해 엄격한 품질 관리 활동을 수행하고 있습니다. 또한, 제품 개발 과정에서부터 고객의 목소리를 적극적으로 반영하고 있습니다. 이러한 노력을 통해 애플은 세계 최고의 품질을 자랑하는 제품을 출시하고 있습니다.

지속적인 개선의 중요성

시장과 기술의 변화에 대응하고, 고객의 기대를 지속해서 충족시키기 위해서는 제품이나 서비스의 지속적인 개선이 필요합니다. 이는 비즈니스의 성장과 장기적인 경쟁력 유지에 중요합니다.

지속적인 개선 방법

시장 변화에 대한 적응: 시장 트렌드와 고객의 요구 변화에 주의를 기울이고, 이에 적응하는 제품이나 서비스 개발을 지속합니다.

혁신적인 접근 : 새로운 기술이나 아이디어를 적극적으로 도입하여 제품이나 서비스를 혁신합니다.

피드백 루프 : 고객의 피드백을 정기적으로 수집하고, 이를 제품이나 서비스 개선에 적극적으로 활용합니다.

실무적인 관점에서의 품질 관리와 개선

실무적인 관점에서는 품질 관리와 지속적인 개선을 위해 명확한 프로세스와 책임 체계가 필요합니다. 예를 들어, 품질 관리팀은 제품의 각 단계에서 품질을 검증하고, 문제가 발견되면 즉시 개선 조치를 취합니다. 또한, R&D 팀은 시장의 요구와 기술 발전을 주시하며, 제품 개발에 혁신적인 아이디어를 적용합니다.

품질 관리와 지속적인 개선은 제품이나 서비스의 성공을 위해 필수적입니다. 이 과정을 통해 비즈니스는 높은 수준의 고객 만족도를 달성하고, 시장에서의 지속적인 경쟁력을 유지할 수 있습니다.

08
마케팅 전략과 브렌딩

마케팅 전략은 제품이나 서비스를 시장에 알리고, 고객과의 관계를 구축하며, 판매를 촉진하는 데 중요한 역할을 합니다. 효과석인 마케팅 전략은 명확한 목표 고객을 정의하고, 이들에게 도달하는 방법을 결정합니다.

마케팅 전략 구성요소

시장 분석: 목표 시장의 특성, 경쟁사 분석, 고객의 요구와 선호를 파악합니다.

마케팅 목표 설정 : 브랜드 인지도 향상, 판매 증대, 고객 참여 증진 등 구체적인 마케팅 목표를 설정합니다.

채널 전략 : 온라인 마케팅, 소셜 미디어, 이메일 마케팅, 오프라인 광고 등 효과적인 채널을 선정합니다.

브랜딩의 중요성

브랜딩은 기업의 정체성을 구축하고, 고객에게 강력한 인상을 남기는 과정입니다. 이는 고객의 충성도를 높이고, 장기적인 비즈니스 성공을 위한 기반을 마련합니다.

브랜딩 전략 구성요소

브랜드 정체성 구축 : 브랜드 이름, 로고, 슬로건, 디자인 등을 통해 브랜드 정체성을 명확하게 합니다.

브랜드 스토리텔링 : 브랜드의 가치, 철학, 차별화된 특징을 전달하는 스토리를 만듭니다.

고객 참여 : 브랜드와 고객 사이의 상호작용을 강화하고, 고객의 의견을 반영합니다.

나이키는 스포츠 브랜드로 유명합니다. 나이키는 이러한 브랜드 이미지를 바탕으로 젊은 층을 공략하는 마케팅 전략을 수립하고 있습니다. 나이키는 스포츠 스타를 모델로 기용하고, 젊은이들이 공감할 수 있는 마케팅 활동을 펼치고 있습니다.

실무적인 관점에서의 마케팅 전략과 브랜딩

실무적인 관점에서 마케팅 전략과 브랜딩을 수행할 때는 다음과 같은 점들을 고려합니다:

예산과 자원의 효율적 배분 : 마케팅 활동에 필요한 예산과 자원을 효율적으로 배분하고, ROI(투자 대비 수익률)를 계산합니다.

지속적인 데이터 분석 : 마케팅 캠페인의 효과를 정기적으로 분석하고, 필요한 조정을 실시합니다. 이를 통해 마케팅 전략의 효율성을 지속해서 개선합니다.

브랜드 일관성 유지 : 모든 마케팅 활동과 커뮤니케이션에서 브랜드의 일관성을 유지합니다. 이는 브랜드의 신뢰성과 전문성을 강화하는 데 중요합니다.

마케팅 전략과 브랜딩은 기업의 성공적인 시장 진입과 성장에 결정적인 요소입니다. 효과적인 마케팅 전략과 강력한 브랜딩은 기업이 명확한 시장 위치를 확보하고, 고객과의 지속적인 관계를 구축하는 데 필수적입니다. 체계적인 계획과 실행, 지속적인 평가와 개선을 통해 마케팅과 브랜딩 전략의 성공을 도모할 수 있습니다.

8.1 마케팅 계획 수립

마케팅 계획은 사업의 성공을 위한 핵심 요소입니다. 이 계획은 시장의 목표 고객에게 효과적으로 도달하고, 브랜드 인지도를 높이며, 최종적으로 판매를 증가시키기 위한 전략을 포함합니다.

마케팅 계획 수립 과정

시장 분석 : 목표 시장을 분석하여 고객의 요구, 선호, 구매 패턴을 파악합니다. 경쟁사 분석을 통해 시장의 기회와 위협을 이해합니다.

목표 설정 : 구체적이고 측정할 수 있는 마케팅 목표를 설정

합니다. 예를 들어, 특정 기간 내에 특정 제품의 판매량 증가, 웹사이트 트래픽 증가 등의 목표가 될 수 있습니다.

전략 및 전술 개발 : 목표 달성을 위한 전략과 구체적인 마케팅 전술을 개발합니다. 이는 SNS 마케팅, 콘텐츠 마케팅, 이벤트, 프로모션 등을 포함할 수 있습니다.

예산 계획 : 마케팅 활동에 필요한 예산을 계획하고 할당합니다. 이는 자원을 효율적으로 사용하고 ROI를 극대화하는 데 도움이 됩니다.

실행 및 모니터링 : 마케팅 계획을 실행하고 지속해서 성과를 모니터링합니다. 이를 통해 계획의 효과를 평가하고 필요한 조정을 합니다.

예시: 실무적인 마케팅 계획

한 스타트업이 새로운 모바일 앱을 출시하는 경우를 예로 들 수 있습니다. 이 회사는 다음과 같은 마케팅 계획을 수립합니다:

시장 분석 : 주 목표 고객은 20-30대 젊은 직장인으로, 모바일 기기 사용이 높고 SNS 활동이 활발합니다.

목표 설정 : 첫 3개월 동안 앱 다운로드 수 10,000회 달성을 목표로 합니다.

전략 및 전술 : 인스타그램과 페이스북 광고를 중심으로 한

디지털 마케팅을 집행합니다. 인플루언서와의 협업을 통해 제품 인지도를 높이고, 초기 사용자에게 할인 프로모션을 제공합니다.

예산 계획 : 총예산의 50%를 디지털 마케팅에 할당하고, 나머지는 인플루언서 마케팅과 프로모션에 사용합니다.

실행 및 모니터링 : 광고의 클릭률, 앱 다운로드 수, SNS 활동의 참여도 등을 주기적으로 모니터링하며, 필요에 따라 마케팅 전략을 조정합니다.

효과적인 마케팅 계획은 명확한 목표 설정, 철저한 시장 분석, 실현 가능한 전략 수립, 적절한 예산 할당, 그리고 지속적인 성과 모니터링이 필요합니다. 이러한 계획은 제품이나 서비스의 시장 내 위치를 강화하고, 고객과의 관계를 발전시키며, 비즈니스 성장을 끌어내는 데 중요한 역할을 합니다.

8.2 브랜딩과 브랜드 커뮤니케이션

브랜딩은 기업이나 제품의 정체성을 구축하고, 고객에게 강력한 인상을 남기는 과정입니다. 효과적인 브랜딩은 고객의 인지도와 충성도를 높이고, 경쟁사와의 차별화를 끌어냅니다.

브랜딩 전략 구성요소

브랜드 정체성 확립: 브랜드의 핵심 가치, 미션, 비전을 명확히 정의합니다. 이는 로고, 색상, 슬로건 등에 반영됩니다.

브랜드 스토리텔링 : 브랜드의 스토리를 통해 고객과 감정적으로 연결합니다. 스토리텔링은 브랜드가 전달하고자 하는 메시지를 효과적으로 전달하는 수단입니다.

일관된 브랜드 이미지 유지 : 모든 마케팅 채널과 커뮤니케이션에서 일관된 브랜드 이미지를 유지하는 것이 중요합니다.

브랜드 커뮤니케이션 전략

통합 마케팅 커뮤니케이션 : 다양한 마케팅 채널을 통해 일관된 메시지를 전달합니다. 온라인, 오프라인, SNS, 이벤트 등을 활용한 전략적인 커뮤니케이션을 구축합니다.

고객 참여 증진: 소셜 미디어, 커뮤니티, 이벤트 등을 통해 고객과의 상호작용을 강화합니다. 이는 브랜드에 대한 인지도와 충성도를 높이는 데 도움이 됩니다.

피드백과 반응 관리 : 고객의 피드백과 반응을 주의 깊게 관리하고, 이를 브랜드 전략에 반영합니다.

할리데이비슨 브랜딩 전략

할리데이비슨은 강력한 브랜드 정체성과 브랜드 커뮤니케이션 전략으로 유명합니다. 이들의 전략은 다음과 같은 요소를 포함합니다.

강력한 브랜드 정체성 : 할리데이비슨은 자유, 모험, 개성을 강조하는 브랜드 정체성을 가지고 있습니다. 이들은 이러한 정체성을 모든 브랜드 활동에 일관되게 반영합니다.

브랜드 스토리텔링 : 할리데이비슨은 브랜드의 역사와 철학을 강조하는 스토리텔링을 통해 감정적으로 고객과 연결됩니다. 이러한 스토리는 광고, 이벤트, SNS 등 다양한 매체를 통해 전달됩니다.

고객 참여 및 커뮤니티 형성 : 할리데이비슨은 강력한 고객 커뮤니티를 구축하고 있으며, 이를 통해 브랜드 충성도를 강화합니다. 라이더 모임, 자선 활동, 브랜드 행사 등은 고객 참여를 촉진합니다.

실무적인 관점에서의 브랜딩 전략

실무적 관점에서 할리데이비슨의 브랜딩 전략을 살펴보면, 다음과 같은 요소들이 중요합니다.

고유한 브랜드 이미지의 유지 : 할리데이비슨은 전통적인 모터사이클 이미지를 유지하면서 현대적인 요소를 추가하는 방식으로 브랜드 이미지를 일관되게 유지합니다.

고객 경험 중심의 마케팅 : 할리데이비슨은 고객이 브랜드와 상호작용할 수 있는 다양한 방법을 제공합니다. 예를 들어, 테스트 드라이브 이벤트, 브랜드 스토어 체험, 온라인 커뮤니티 참여 등을 통해 브랜드 경험을 제공합니다.

지속적인 커뮤니케이션 : 할리데이비슨은 지속적인 브랜드 커뮤니케이션을 통해 고객과의 관계를 강화합니다. 이메일 뉴스레터, SNS 채널 운영, 고객 피드백 수집 등을 통해 고객과의 연결을 유지합니다.

브랜드 커뮤니케이션은 기업의 성공을 위한 필수 요소입니다. 효과적인 브랜드 커뮤니케이션을 통해 기업은 브랜드 인지도를 높이고, 브랜드 이미지를 형성하며, 브랜드 충성도를 높일 수 있습니다.

8.3 디지털 마케팅과 소셜 미디어 활용

디지털 마케팅은 현대 비즈니스에서 필수적인 요소로 자리 잡았습니다. 인터넷과 디지털 기술의 발달로 소비자들의 구매 행동이 변화하면서, 기업들은 디지털 채널을 통해 자신들의 제품과 서비스를 홍보하고, 고객과 직접 소통하는 방법을 찾고 있습니다.

디지털 마케팅은 인터넷, 모바일, 소셜 미디어 등 디지털 채널을 활용한 마케팅 활동입니다. 디지털 마케팅은 기존의 마케팅 방식과 비교하여 다음과 같은 장점을 가지고 있습니다.

비용 효율성 : 디지털 마케팅은 기존의 마케팅 방식에 비해 상대적으로 저렴한 비용으로 효과적인 마케팅 효과를 얻을

수 있습니다.

목표의 정확성 : 디지털 마케팅은 다양한 타겟팅 기능을 통해 원하는 고객에게만 마케팅 메시지를 전달할 수 있습니다.

측정의 용이성 : 디지털 마케팅은 다양한 측정 지표를 통해 마케팅 활동의 효과를 정확하게 측정할 수 있습니다.

소셜 미디어는 인터넷을 기반으로 한 온라인 커뮤니티입니다. 소셜 미디어는 다음과 같은 특징을 가지고 있습니다.

쌍방향 소통 : 소셜 미디어는 기업과 고객이 쌍방향으로 소통할 수 있는 플랫폼입니다.

확산의 속도 : 소셜 미디어는 메시지를 빠르게 확산할 수 있습니다.

접근성 : 소셜 미디어는 다양한 연령층과 계층의 사람들이 접근할 수 있습니다.

디지털 마케팅과 소셜 미디어는 서로 밀접하게 관련되어 있습니다. 디지털 마케팅은 소셜 미디어를 활용하여 마케팅 활동을 수행할 수 있고, 소셜 미디어는 디지털 마케팅의 중요한 채널로 활용될 수 있습니다.

디지털 마케팅과 소셜 미디어의 활용
디지털 마케팅과 소셜 미디어는 다음과 같은 목적으로 활용될 수 있습니다.

브랜드 인지도 향상 : 디지털 마케팅과 소셜 미디어를 통해 기업이나 제품에 대한 인지도를 높일 수 있습니다.

고객 확보 및 충성도 향상 : 디지털 마케팅과 소셜 미디어를 통해 고객을 확보하고, 고객의 충성도를 높일 수 있습니다.

판매 증대 : 디지털 마케팅과 소셜 미디어를 통해 제품이나 서비스의 판매를 증대할 수 있습니다.

디지털 마케팅 전략

목표 고객 분석 : 디지털 마케팅 전략을 수립하기 전에 목표 고객을 정확히 이해하는 것이 중요합니다. 고객의 선호, 행동 패턴, 디지털 사용 습관 등을 분석합니다.

콘텐츠 마케팅 : 유익하고 매력적인 콘텐츠를 제작하여 목표 고객에게 가치를 제공합니다. 이는 블로그 글, 인포그래픽, 비디오, 팟캐스트 등 다양한 형태를 취할 수 있습니다.

SEO (검색 엔진 최적화) : 웹사이트와 콘텐츠가 검색 엔진에서 높은 순위를 차지하도록 최적화합니다. 이는 검색 엔진을 통한 유입을 증가시킵니다.

소셜 미디어 마케팅 : 소셜 미디어 채널을 활용하여 브랜드 인지도를 높이고, 고객과의 소통을 강화합니다.

소셜 미디어 활용 전략

적합한 플랫폼 선택 : 목표 고객이 활동하는 소셜 미디어 플랫폼을 선택합니다. 예를 들어, 젊은 고객층이 주를 이룬다면 인스타그램과 틱톡이 효과적일 수 있습니다.

인터랙티브 콘텐츠 : 사용자 참여를 유도하는 인터랙티브 콘텐츠를 제작합니다. 퀴즈, 설문조사, 라이브 스트리밍, 댓글 이벤트 등이 포함될 수 있습니다.

커뮤니티 관리 : 소셜 미디어에서 활발한 키뮤니티를 구축하고 관리합니다. 사용자들의 질문에 신속하게 답변하고, 브랜드에 대한 긍정적인 대화를 장려합니다.

디지털 마케팅과 소셜 미디어는 기업의 마케팅 활동에 있어 필수적인 요소가 되었습니다. 효과적인 디지털 마케팅과 소셜 미디어 활용을 통해 기업은 고객과의 소통을 강화하고, 마케팅 활동의 효과를 극대화할 수 있습니다.

09
판매와 성장

비즈니스의 성공은 지속적인 판매 증대와 성장에 달려 있습니다. 효과적인 판매 전략과 성장 계획을 통해 기업은 시장에서 지속 가능한 위치를 확보하고, 경쟁 우위를 유지할 수 있습니다.

판매는 크게 B2B(Business to Business) 판매와 B2C(Business to Consumer) 판매로 구분할 수 있습니다. B2B 판매는 기업과 기업 간의 판매를 말합니다. B2C 판매는 기업과 소비자 간의 판매를 말합니다.

B2B 판매와 B2C 판매는 서로 다른 특성이 있습니다. B2B 판매는 거래 규모가 크고, 구매 결정 과정이 복잡합니다. B2C 판매는 거래 규모가 작고, 구매 결정 과정이 단순합니다.

판매의 단계
판매는 다음과 같은 단계를 거칩니다.

잠재 고객 발굴 : 잠재 고객을 발굴하는 단계입니다. 잠재 고객은 제품이나 서비스에 관심이 있는 고객입니다.

접촉 : 잠재 고객과 접촉하는 단계입니다. 접촉은 전화, 이메일, 방문 등의 방법으로 이루어집니다.

진단 : 잠재 고객의 니즈를 파악하는 단계입니다. 니즈는 잠재 고객이 제품이나 서비스에서 원하는 것을 말합니다.

제안 : 잠재 고객에게 제품이나 서비스를 제안하는 단계입니다. 제안은 잠재 고객의 니즈를 충족시킬 수 있는 제품이나 서비스를 제시하는 것입니다.

협상 : 잠재 고객과 협상을 통해 거래 조건을 결정하는 단계입니다.

계약 : 잠재 고객과 계약을 체결하는 단계입니다. 계약은 거래 조건을 명문화한 문서입니다.

서비스 제공 : 계약에 따라 제품이나 서비스를 제공하는 단계입니다.

후속 관리 : 거래 후 잠재 고객을 관리하는 단계입니다. 후속 관리는 고객 만족도를 높이고, 재구매를 유도하기 위한 활동입니다.

판매 전략은 기업의 목표와 상황에 따라 다르게 수립해야 합니다. 판매 전략을 수립할 때 고려해야 할 요소는 다음과 같습니다.

기업의 목표 : 기업의 목표는 판매 전략의 방향을 결정합니다.

시장 환경 : 시장 환경은 판매 전략의 수립에 영향을 미칩니다.

경쟁 환경 : 경쟁 환경은 판매 전략의 수립에 영향을 미칩니다.

제품이나 서비스의 특성 : 제품이나 서비스의 특성은 판매 전략의 수립에 영향을 미칩니다.

성공적인 판매와 성장 전략은 시장과 고객의 변화에 민감하게 대응하고, 지속적인 혁신을 추구하는 데 중점을 둡니다. 비즈니스의 장기적인 성공을 위해서는 다양한 판매 채널의 활용, 명확한 가치 제안, 시장 확장, 제품 다각화 및 협업과 같은 전략적 접근이 필요합니다.

9.1 판매 전략 및 채널

효과적인 판매 전략은 제품이나 서비스가 시장에서 성공적으로 수용되는 데 중요한 역할을 합니다. 이 전략은 목표 고객에게 도달하고, 제품의 가치를 전달하며, 매출 증대를 목표로 합니다.

온라인 판매 전략

웹사이트 및 전자상거래 플랫폼 활용: 자체 웹사이트 또는 주요 전자상거래 플랫폼을 통해 제품을 판매합니다. 사용자 친화적인 인터페이스와 간편한 결제 시스템을 제공하는 것이 중요합니다.

소셜 미디어 마케팅 : 인스타그램, 페이스북, 유튜브 등의 플랫폼을 활용하여 제품을 홍보하고, 고객 참여를 유도합니다.

타깃 광고 및 SEO : 검색 엔진 최적화(SEO)와 타깃 광고를 통해 웹사이트 트래픽을 증가시키고, 잠재 고객에게 도달합니다.

온라인 고객 서비스 : 온라인 채팅 지원, FAQ 섹션, 고객 리뷰 및 피드백을 통해 우수한 고객 서비스를 제공합니다.

오프라인 판매 전략

매장 위치 선정 : 목표 고객이 자주 방문하는 지역에 매장을 위치시킵니다. 쉽게 접근할 수 있고 눈에 띄는 위치 선정이 중요합니다.

인-스토어 경험 제공 : 고객이 매장을 방문했을 때 독특하고 즐거운 쇼핑 경험을 제공합니다. 이는 제품 시연, 친절한 고객 서비스, 매력적인 매장 디자인 등을 포함할 수 있습니다.

오프라인 이벤트 및 프로모션 : 팝업 스토어, 할인 이벤트, 신제품 출시 행사 등을 통해 브랜드 인지도를 높이고, 매장 방문을 촉진합니다.

오프라인과 온라인 연계 : 온라인 캠페인과 오프라인 매장 프로모션을 연계하여, 통합된 쇼핑 경험을 제공합니다.

채널 전략

채널 전략은 판매 채널을 어떻게 활용할 것인지 결정하는 것입니다. 판매 채널은 크게 직접 채널과 간접 채널로 구분할 수 있습니다.

직접 채널 : 기업이 직접 판매하는 채널입니다. 직접 채널은 제품이나 서비스에 대한 고객의 이해도를 높일 수 있는 장점이 있습니다.

간접 채널 : 기업이 다른 기업을 통해 판매하는 채널입니다. 간접 채널은 기업이 판매에 드는 비용을 절감할 수 있는 장점이 있습니다.

채널 전략을 수립할 때는 다음과 같은 요소들을 고려해야 합니다.

제품이나 서비스의 특성: 제품이나 서비스의 특성에 따라 적합한 채널이 달라집니다. 예를 들어, 고가의 제품이나 서비스는 직접 채널을 활용하는 것이 유리합니다.

시장 환경: 시장 환경에 따라 적합한 채널이 달라집니다. 예를 들어, 경쟁이 치열한 시장에서는 간접 채널을 활용하여 고객 접점을 확대하는 것이 유리합니다.

기업의 목표: 기업의 목표에 따라 적합한 채널이 달라집니다. 예를 들어, 매출을 늘리고 싶다면, 직접 채널을 활용하는 것이 유리합니다.

판매 채널의 종류

판매 채널에는 다음과 같은 종류가 있습니다.

직접 판매 : 기업이 직접 판매하는 채널입니다. 직접 판매는 크게 방문 판매, 전화 판매, 온라인 판매로 구분할 수 있습니다.

대리점 판매 : 기업이 대리점을 통해 판매하는 채널입니다. 대리점 판매는 크게 일반 대리점, 전문 대리점, 독점 대리점으로 구분할 수 있습니다.

총판 판매 : 기업이 총판을 통해 판매하는 채널입니다. 총판 판매는 크게 일반 총판, 전문 총판, 독점 총판으로 구분할 수 있습니다.

유통 채널 판매 : 기업이 유통 채널을 통해 판매하는 채널입니다. 유통 채널 판매는 크게 백화점, 대형마트, 편의점, 온라인 쇼핑몰 등으로 구분할 수 있습니다.

효과적인 온라인과 오프라인 판매 전략은 시장의 다양한 요구를 충족시키고, 브랜드의 시장 점유율을 높이는 데 중요합니다. 이를 위해 목표 고객 분석, 채널 간 통합 전략, 데이터 기반 의사결정, 지속적인 혁신이 필요합니다.

9.2 고객 유지 및 관계 관리

고객 유지의 중요성

고객 유지는 비즈니스의 장기적 성공을 위해 필수적입니다. 기존 고객을 유지하는 것은 새로운 고객을 획득하는 것보다 비용이 적게 들고, 충성도 높은 고객들은 더 많은 수익을 창출할 수 있습니다.

고객 관계 관리 전략

고객 이해 및 맞춤 서비스 제공: 고객의 필요와 선호를 이해하고, 개인화된 서비스와 제품을 제공합니다.

피드백 수집 및 반영 : 고객의 의견과 피드백을 적극적으로 수집하고, 이를 서비스 개선에 반영합니다.

고객 충성 프로그램 운영 : 보상 프로그램, 멤버십 혜택 등을 통해 고객의 충성도를 높이고 재구매를 유도합니다.

지속적인 커뮤니케이션 : 이메일 뉴스레터, 소셜 미디어, 개인화된 메시지를 통해 정기적으로 고객과 소통합니다.

실무적인 관점 : 고객 유지 및 관계 관리 사례

한국의 중소기업 S사는 스마트 가전 제품을 판매하고 있습니다. 이들의 고객 유지 및 관계 관리 전략은 다음과 같습니다:

고객 맞춤형 서비스 : 고객별 구매 이력과 선호도를 분석하여 맞춤형 제품 추천과 개인화된 프로모션을 제공합니다.

피드백 시스템 구축 : 온라인 설문 조사, 제품 리뷰 요청 등을 통해 고객 피드백을 수집하고, 이를 제품 개발과 서비스 개선에 적극적으로 활용합니다.

멤버십 프로그램 운영 : 포인트 적립, 특별 할인, 멤버 전용 이벤트 등 다양한 멤버십 혜택을 제공하여 장기적인 고객 관계를 구축합니다.

지속적인 소통 및 관계 유지 : 이메일 뉴스레터, SNS 채널을 통해 정기적으로 새로운 제품 정보, 유용한 팁, 회사 소식 등을 공유하여 고객과의 지속적인 관계를 유지합니다.

네이버 : 네이버는 다양한 고객 혜택을 제공하여 고객 만족도를 높이고 있습니다. 네이버 플러스 멤버십 가입자는 네이버쇼핑에서 할인 혜택을 받을 수 있고, 네이버페이로 결제 시 포인트를 적립 받을 수 있습니다.

쿠팡 : 쿠팡은 고객 문제 해결에 적극적으로 나서고 있습니다. 쿠팡은 고객센터를 24시간 운영하고, 고객의 문의에 신속하게 답변하고 있습니다. 또한, 고객이 상품에 만족하지 못하면 무료 반품을 제공합니다.

고객 유지 및 관계 관리를 성공시키기 위해서는 다음과 같은 요소들이 중요합니다.

고객 중심 사고 : 고객의 입장에서 생각하고, 고객의 요구를 충족시킬 수 있는 전략을 수립해야 합니다.

전략적 접근 : 고객 유지 및 관계 관리는 단기적인 활동이 아니라, 장기적인 관점에서 접근해야 합니다.

체계적인 실행 : 고객 유지 및 관계 관리 전략을 체계적으로 실행해야 합니다.

고객 유지와 관계 관리는 지속적인 소통, 맞춤형 서비스 제공, 피드백의 적극적 수용 및 멤버십 프로그램 운영 등을 통해 이루어집니다. 기업은 이러한 전략을 통해 고객의 충성도를 높이고, 장기적인 관계를 구축하여 안정적인 수익원을 확보할 수 있습니다.

9.3 비즈니스 확장 및 성장 전략

비즈니스 확장과 성장은 기업이 경쟁력을 유지하고 장기적인 성공을 보장하는 데 필수적입니다. 이는 시장 점유율을 늘리고, 수익 다각화를 통해 기업의 안정성을 강화하는 데 중요한 역할을 합니다.

비즈니스 확장 전략

시장 확장 : 새로운 지역 또는 해외 시장으로 비즈니스를 확장합니다. 이는 시장 조사, 현지화 전략, 현지 파트너십 개발 등을 포함합니다.

제품 다양화 : 기존 제품 라인에 새로운 제품을 추가하거나, 관련 분야로 사업 영역을 확장합니다. 이는 시장의 다양한 수요를 충족시키는 방법입니다.

M&A(인수 및 합병) : 다른 회사를 인수하거나 합병함으로써 신속하게 시장 점유율을 확대하고, 새로운 역량을 통합합니다.

전략적 파트너십 : 다른 기업과의 협력을 통해 새로운 시장에 접근하거나, 기술 및 자원을 공유합니다.

성장 전략

혁신 및 연구 개발: 지속적인 제품 혁신과 연구 개발을 통해 시장의 변화에 대응하고 경쟁 우위를 유지합니다.

고객 기반 확장: 목표 고객을 확장하고, 다양한 고객 그룹의 니즈에 맞는 마케팅 전략을 개발합니다.

브랜드 가치 강화 : 강력한 브랜드 정체성과 일관된 커뮤니케이션을 통해 브랜드 가치를 높이고 고객 충성도를 증진합니다.

실무적인 관점 : 한국의 중소기업 사례

한국의 중소기업 H사는 건강 관련 제품을 제조하고 판매합니다. 이들의 확장 및 성장 전략은 다음과 같습니다:

글로벌 시장 진출 : 아시아 및 북미 시장으로 진출하여 새로운 고객층을 목표로 합니다. 현지화 전략과 현지 파트너와의 협력을 통해 시장에 진입합니다.

제품 라인 확장 : 기존 건강 제품 외에 스마트 건강 기기를 추가하며 제품 다양화를 추진합니다.

전략적 파트너십 : 유통, 기술, 마케팅 분야에서 다른 기업과 협력하여 시너지를 창출합니다.

고객 중심의 혁신 : 지속적인 시장 조사와 고객 피드백을 통해 제품을 개선하고 새로운 제품을 개발합니다.

N사는 한국의 재활 기술 선도 기업으로, 국내 시장에서 시작해 미국과 유럽으로 확장하며 글로벌 브랜드로 성장했습니다. 이들은 디지털 기술을 활용한 혁신적인 재활 제품, 예를 들어 스마트 재활 장갑과 게임 기반 테라피 소프트웨어를 개발하여 제품 라인을 다양화했습니다. 연구개발에 지속적인 투자를 통해 제품의 효과성을 개선하고, 병원 및 재활센터와의 파트너십으로 임상 데이터를 확보하며 실용성을 높였습니다. 네오펙트의 전략은 글로벌 시장 진출, 지속적인 제품 혁신, 의료계와의 협력에 중점을 두고 있습니다.

비즈니스의 확장과 성장은 시장 확장, 제품 다양화, 혁신, 파트너십 등 다양한 전략을 통해 이루어집니다. 이 과정에서 중요한 것은 시장의 변화를 지속해서 관찰하고, 고객의 니즈에 민감하게 반응하는 것입니다. 지속적인 성장을 위해서는 끊임없는 혁신과 전략적 사고가 필요합니다.

10
위험 관리와 준비

비즈니스를 운영하면서 다양한 위험에 직면하는 것은 피할 수 없는 일입니다. 효과적인 위험 관리는 예상치 못한 문제로부터 비즈니스를 보호하고, 장기적인 안정성과 성장을 지원합니다.

위험 관리 전략

위험 식별 및 평가 : 사업을 운영하며 발생할 수 있는 다양한 위험들을 식별하고 그 심각성을 평가합니다.

위험 대응 계획 수립 : 식별된 위험에 대한 대응 계획을 마련합니다. 이는 위험 감소, 위험 회피, 위험 전가(예: 보험 가입), 위험 수용 등의 전략을 포함할 수 있습니다.

정기적인 위험 관리 : 비즈니스 환경의 변화에 따라 정기적으로 위험을 재평가하고 대응 계획을 업데이트합니다.

직원 교육 및 의식 제고 : 직원들에게 위험 관리의 중요성을 교육하고, 위험 대응 프로토콜에 대한 인식을 높입니다.

위험 관리의 대상은 다음과 같습니다.

재무적 위험 : 기업의 재무 상태에 영향을 미치는 위험, 예를 들어, 경기 침체, 환율 변동, 금융위기 등

운영적 위험 : 기업의 운영에 영향을 미치는 위험, 예를 들어, 사고, 재해, 시스템 오류 등

법적 위험 : 기업의 법적 상황에 영향을 미치는 위험, 예를 들어, 법률 위반, 소송 등

고객 위험 : 기업의 고객과 관련된 위험, 예를 들어, 고객 불만, 고객 이탈 등

공급망 위험 : 기업의 공급망과 관련된 위험, 예를 들어, 공급 중단, 품질 불량 등

비즈니스를 운영하는 데 있어 법적 준비는 필수적입니다. 이는 기업이 법적 문제에 효과적으로 대응하고, 규제 위반으로 인한 손실을 방지하는 데 도움을 줍니다.

법적 준비 전략

법률 지식 및 자문 확보 : 비즈니스와 관련된 법률적 사항에 대한 이해를 높이고, 필요시 법률 조언을 받습니다.

규제 준수 : 비즈니스가 운영되는 지역의 법률 및 규제를 준수합니다. 이는 세금, 노동 법률, 건강 및 안전 규정, 지식재산권 보호 등을 포함합니다.

계약 관리 : 고객, 공급업체, 파트너와의 계약을 철저히 검토하고 관리합니다. 계약서는 법적 효력이 있으므로, 모든 조항이 명확하고 공정해야 합니다.

위기관리 계획 : 법적 위기가 발생했을 때 신속하고 효과적으로 대응하기 위한 계획을 수립합니다.

10.1 재무 위험 관리 전략

재무적 위기는 기업의 재무 상태에 심각한 악영향을 미치는 위기를 말합니다. 재무적 위기는 기업의 존폐를 위협할 수 있는 만큼, 기업은 재무적 위기에 대비한 위기관리 전략을 수립하고 실천해야 합니다.

재무적 위기의 종류

재무적 위기는 다음과 같은 송류로 구분할 수 있습니다.

부채 위기 : 기업의 부채가 자산을 초과하여 파산 위기에 처한 경우

현금 유동성 위기 : 기업이 단기적인 현금 흐름을 감당할 수 없는 경우

손실 위기 : 기업의 수익이 비용을 초과하여 손실을 기록하는 경우

재무적 위기관리 전략의 구성 요소

재무적 위기관리 전략은 다음과 같은 구성 요소를 포함합니다.

재무적 위기 식별 : 기업이 직면할 수 있는 재무적 위기의 종류를 파악하는 활동

재무적 위기 평가 : 재무직 위기의 발생 가능성과 영향력을 평가하는 활동

재무적 위기 대응 계획 : 재무적 위기 발생 시 신속하고 효과적으로 대응하기 위한 계획

재무적 위기 의사소통 계획 : 재무적 위기 상황을 대중에게 효과적으로 전달하기 위한 계획

재무적 위기 복구 계획 : 재무적 위기 이후의 정상적인 운영을 회복하기 위한 계획

재무적 위기관리 전략의 실천 방안

재무적 위기관리 전략을 실천하기 위해서는 다음과 같은 실천 방안을 고려할 수 있습니다.

재무적 위기관리에 대한 기업의 인식을 강화합니다. 재무적 위기관리는 기업의 성공을 위한 필수적인 요소임을 인식하고, 이에 대한 투자를 확대해야 합니다. 재무적 위기관리에 대한 체계적인 계획을 수립합니다. 기업의 특성에 맞는 재무적 위

기관리 계획을 수립하고, 이를 실행해야 합니다. 재무적 위기 관리는 전문적인 지식과 경험이 필요합니다. 따라서, 재무적 위기관리에 대한 전문 인력을 확보해야 합니다.

고정비용의 중요성

고정비용은 기업이 생산과 상관없이 계속 지출되는 비용이다. 고정비용이 높을수록 기업은 단기간에 많은 현금을 소모하기 때문에 재무적 위기의 위험이 높아집니다. 따라서, 기업은 고정비용을 지속해서 모니터링하고, 적절한 수준으로 유지하기 위한 노력을 기울여야 합니다.

고정비용을 낮추기 위한 방법에는 다음과 같은 것들이 있습니다.

비용 절감 : 기업의 비용을 절감하여 현금 유출을 줄일 수 있습니다.

수익 증대 : 기업의 수익을 증대하여 현금 유입을 늘릴 수 있습니다.

자금 조달 : 외부에서 자금을 조달하여 현금 유동성을 확보할 수 있습니다.

고정비와 변동비의 고려

재무적 위기관리를 위해서는 고정비와 변동비를 고려해야 합니다. 고정비는 기업의 규모나 생산량과 관계없이 일정하게 발생하는 비용입니다. 변동비는 기업의 규모나 생산량에 따라 변동하는 비용입니다.

고정비는 기업의 재무 건전성에 큰 영향을 미칩니다. 고정비가 많이 들수록 기업은 일정한 수준의 매출을 달성해야만 손실을 피할 수 있습니다. 따라서, 고정비를 낮추기 위해 노력하는 것이 중요합니다.

고정비를 낮추기 위한 방법에는 다음과 같은 것들이 있습니다.

비용 절감 : 고정비의 대표적인 예로는 임차료, 인건비, 감가상각비 등이 있습니다. 이러한 비용을 절감하기 위해 계약 조건을 재협상하거나, 인력 구조조정을 실시하거나, 감가상각비를 최소화할 방법을 모색할 수 있습니다.

사업 구조 조정 : 사업 구조를 조정하여 고정비를 줄일 수 있습니다. 예를 들어, 사업을 일부 축소하거나, 외주를 확대하는 등의 방법을 통해 고정비를 줄일 수 있습니다.

변동비는 기업의 수익과 밀접하게 관련되어 있습니다. 변동비가 낮을수록 기업은 높은 수익을 달성할 수 있습니다. 따라서, 변동비를 최소화하는 것이 재무적 위기관리에 도움이 됩니다.

변동비를 최소화하기 위한 방법에는 다음과 같은 것들이 있습니다.

원가 절감 : 원재료비, 판매관리비 등의 변동비를 절감하기 위해 노력할 수 있습니다. 예를 들어, 원재료의 단가를 낮추거나, 효율적인 생산 방법을 도입하거나, 판매관리비를 줄이기 위한 프로세스를 개선할 수 있습니다.

수익 증대 : 변동비를 줄이는 것과 함께 수익을 증대시켜 변동비를 수익으로 상쇄시키는 방법도 있습니다. 예를 들어, 매출을 늘리거나, 가격을 인상하거나, 신규 사업을 추진할 수 있습니다.

재무적 위기관리의 실무적 관점에서의 고려 사항

재무적 위기관리 전략을 실무적으로 수립하고 실천하기 위해서는 다음과 같은 사항을 고려해야 합니다.

기업의 특성 : 기업의 규모, 업종, 사업 환경 등을 고려하여 위기관리 전략을 수립해야 합니다. 예를 들어, 규모가 작은 기업은 재무적 위기의 발생 가능성이 높기 때문에, 재무 건전성을 유지하기 위한 노력에 집중해야 합니다.

위기의 종류 : 기업이 직면할 수 있는 위기의 종류를 파악하고, 이에 맞는 위기관리 전략을 수립해야 합니다. 예를 들어, 부채 위기에 대비하기 위해서는 부채 상환 계획을 수립해야 합니다.

위기의 발생 가능성 : 위기의 발생 가능성을 평가하고, 이에 대비한 조치를 마련해야 합니다. 예를 들어, 고정비용이 많다면, 비용 절감이나 자금 조달 등의 조치를 통해 현금 유동성을 확보해야 합니다.

위기 대응의 효율성 : 위기 발생 시 신속하고 효과적으로 대응할 수 있는 위기 대응 계획을 수립해야 합니다. 예를 들어, 위기 발생 시 대응해야 할 사항을 사전에 정리하고, 위기 대응 인력을 확보해야 합니다.

재무적 위기관리는 기업의 존폐를 위협할 수 있는 만큼, 기업은 재무적 위기관리의 중요성을 인식하고, 체계적인 위기관리 전략을 수립하고 실천해야 합니다.

10.2 인사 위험 관리 전략

기업의 인적 자원에 발생할 수 있는 잠재적인 위험을 의미하는 인사 위험은 기업의 경영 성과와 지속 가능한 성장에 부정적인 영향을 미칠 수 있습니다. 따라서, 기업은 인사 위험을 사전에 식별하고, 발생할 수 있는 위험에 대비하여 체계적인 대응 시스템을 구축해야 합니다.

인사 위험 관리 전략은 다음과 같은 단계로 구성됩니다.

위험 식별

기업이 직면할 수 있는 인사 위험을 식별하는 단계입니다. 기업은 인사 관련 법률과 규정을 비롯하여, 기업의 경영 환경, 인사 정책 및 관행 등을 종합적으로 고려하여 인사 위험을 식별해야 합니다.

채용 과정에서의 차별, 부당한 면접 질문, 서류 심사 기준 미비

고용 과정에서의 임금체불, 노동시간 위반, 부당해고, 성희롱

퇴직 과정에서의 퇴직금 미지급, 퇴직금 횡령, 노조의 퇴직금 반환 요구

위험 평가

식별된 위험의 발생 가능성과 영향을 평가하는 단계입니다. 기업은 위험의 발생 가능성을 낮음, 보통, 높음으로 분류하고, 영향력을 중대, 경미로 분류하여 위험의 심각성을 평가해야 합니다.

채용 과정에서의 차별: 발생 가능성 높음, 영향력 중대

고용 과정에서의 임금체불: 발생 가능성 보통, 영향력 중대

퇴직 과정에서의 퇴직금 미지급: 발생 가능성 낮음, 영향력 중대

위험 대응

평가된 위험에 적절한 대응책을 마련하는 단계입니다. 기업은 위험의 심각성에 따라 예방, 완화, 전환, 수용 중 하나의 대응 전략을 선택하여 대응책을 마련해야 합니다.

채용 과정에서의 차별: 채용 절차의 공정성을 강화하는 내부 규정 마련, 채용 담당자 교육 실시

고용 과정에서의 임금체불: 임금 체불 발생 시 신속한 대응 절차 마련, 임금 체불을 방지하기 위한 내부 통제 시스템 구축

퇴직 과정에서의 퇴직금 미지급: 퇴직금 지급 절차를 명확히 규정한 내부 규정 마련, 퇴직금 지급을 위한 내부 통제 시스템 구축

기업은 인사 위험 관리를 효과적으로 수행하기 위해 다음과 같은 사항에 유의해야 합니다.

위험 관리에 대한 경영진의 관심과 지원: 인사 위험 관리는 경영진의 관심과 지원이 필수적입니다. 경영진은 인사 위험 관리의 중요성을 인식하고, 인사 위험 관리에 대한 투자를 아끼지 말아야 합니다.

체계적인 위험 관리 시스템 구축: 인사 위험 관리는 체계적인 시스템을 통해 수행되어야 합니다. 기업은 인사 위험 관리 프로세스를 수립하고, 이를 효과적으로 운영할 수 있는 시스템을 구축해야 합니다.

직원 교육 및 인식 제고: 인사 위험 관리는 전 직원의 참여와 협력이 필요합니다. 기업은 직원들에게 인사 위험 관리의 중요성을 교육하고, 인사 위험 관리에 대한 인식을 제고해야 합니다.

한국의 경우, 인사 위험과 관련하여 다음과 같은 사항을 고려해야 합니다.

고용 관계법의 강화 : 근로기준법, 고용상 차별 금지법, 성희롱 금지법 등 고용 관계법이 강화되고 있습니다. 따라서, 기업은 고용 관계법을 준수하기 위해 노력해야 합니다.

사회적 분위기 변화 : 사회 전반적으로 인권과 노동권에 대한 관심이 높아지고 있습니다. 따라서, 기업은 인권과 노동권을 존중하는 기업 문화를 조성하기 위해 노력해야 합니다.

인사 위험 관리는 기업의 지속 가능한 성장을 위한 필수 요소입니다. 기업은 인사 위험을 사전에 식별하고, 발생할 수 있는 위험에 대비하여 체계적인 대응 시스템을 구축해야 합니다.

10.3 지식재산권 보호와 관리

지식재산권은 인간의 창의적 노력으로 만들어진 정신적 재산으로, 특허권, 상표권, 저작권, 디자인권, 영업비밀 등 다양한 형태로 존재합니다. 지식재산권은 기업의 경쟁력과 성장에 중요한 역할을 합니다. 지식재산권을 보호받으면 기업은 독점적인 권리를 행사할 수 있고, 이를 통해 시장 지배력과 수익을 확보할 수 있습니다. 또한, 지식재산권은 기업의 브랜드 가치를 높이고, 새로운 시장을 개척하는 데 도움이 됩니다.

지식재산권 침해의 피해

지식재산권이 침해되면 기업은 다음과 같은 피해를 볼 수 있습니다.

시장 지배력 상실 : 경쟁업체가 무단으로 지식재산권을 사용하면, 기업은 시장에서 경쟁력을 잃을 수 있습니다.

수익 감소 : 지식재산권이 침해되면 기업은 제품 판매량과 매출이 감소할 수 있습니다.

브랜드 가치 하락 : 지식재산권 침해는 기업의 이미지와 신뢰도를 떨어뜨려 브랜드 가치를 하락시킬 수 있습니다.

법적 소송 : 지식재산권 침해로 인해 기업은 법적 소송을 당하고, 소송 비용과 이미지 하락 등의 피해를 볼 수 있습니다.

지식재산권 침해의 유형

지식재산권 침해는 크게 다음과 같은 유형으로 나눌 수 있습니다.

무허가 사용 : 특허, 실용신안, 디자인, 상표권을 보유한 자의 허락 없이 해당 권리를 침해하는 행위입니다. 예를 들어, 특허권을 보유한 자의 허락 없이 특허 기술을 무단으로 사용하는 경우, 실용신안권을 보유한 자의 허락 없이 실용신안 제품을 무단으로 생산하는 경우 등이 있습니다.

위조 : 특허, 실용신안, 디자인, 상표권을 보유한 자의 권리를 침해하기 위해 허위 또는 부정확한 표시를 하는 행위입니다. 예를 들어, 특허권을 보유한 자의 허락 없이 특허 기술을 사용한 제품에 특허 표시를 하는 경우, 실용신안권을 보유한 자의 허락 없이 실용신안 제품을 무단으로 생산한 제품에 실용신안 표시를 하는 경우 등이 있습니다.

모방 : 특허, 실용신안, 디자인, 상표권을 보유한 자의 권리를 침해하기 위해 그 권리자의 기술, 디자인, 상표를 본뜬 행위입니다. 예를 들어, 특허권을 보유한 자의 특허 기술과 동일한 기술을 개발하거나, 실용신안권을 보유한 자의 실용신안 제품과 유사한 제품을 생산하는 경우 등이 있습니다.

지식재산권을 보호하기 위해서는 다음과 같은 방법을 고려할 수 있습니다.

지식재산권 출원 : 지식재산권을 보호하기 위해서는 먼저 해당 지식재산권을 출원해야 합니다. 출원한 지식재산권은 등록되면 법적 보호를 받을 수 있습니다.

지식재산권 관리 : 지식재산권을 출원한 후에도 지속해서 관리해야 합니다. 지식재산권 침해를 예방하고, 침해 발생 시 신속하게 대응하기 위해 노력해야 합니다.

지식재산권 교육 : 직원들에게 지식재산권의 중요성과 보호 방법에 대한 교육을 실시해야 합니다. 직원들이 지식재산권을 보호하기 위한 노력에 동참할 수 있도록 해야 합니다.

지식재산권은 기업의 경쟁력과 성장을 위한 중요한 자산입니다. 기업은 지식재산권을 효과적으로 보호하고 관리하기 위해 노력함으로써, 경쟁 우위를 확보하고 지속 가능한 성장을 도모할 수 있습니다.

11
창업자의 성장과 균형

창업은 기업을 설립하고 운영하는 일로, 창업자는 기업의 설립자이자 최고경영자(CEO)로서 기업의 모든 것을 책임집니다. 창업자는 기업의 성공을 위해 자신의 모든 것을 쏟아붓는 경우가 많지만, 이러한 과정에서 개인적인 삶의 균형을 잃어버리는 경우도 적지 않습니다.

창업자는 기업의 성공을 위해서는 지속적인 성장이 필요합니다. 창업자의 성장은 크게 다음과 같은 두 가지 측면에서 이루어집니다.

사업적 성장 : 창업자가 사업적 지식과 역량을 키우고, 이를 통해 기업을 성장시키는 것을 의미합니다.

개인적 성장 : 창업자가 인간으로서 성장하고, 이를 통해 기업을 더 나은 방향으로 이끌 수 있는 역량을 갖추는 것을 의미합니다.

사업적 성장을 위해서는 창업자가 다음과 같은 노력을 기울여야 합니다.

사업에 대한 이해를 높이기 위한 노력 : 창업자는 자신의 사업에 대한 이해를 높이기 위해 다양한 노력을 기울여야 합니다. 이를 위해 관련 분야의 교육과 훈련을 받고, 전문가의 조언을 구하는 것이 도움이 됩니다.

새로운 지식과 기술을 습득하기 위한 노력 : 창업자는 빠르게 변화하는 비즈니스 환경에 대응하기 위해 새로운 지식과 기술을 습득해야 합니다. 이를 위해 다양한 교육과 훈련을 받고, 네트워크를 통해 새로운 정보를 얻는 것이 도움이 됩니다.

사업을 실행하기 위한 실질적인 역량을 키우기 위한 노력 : 창업자는 사업을 실행하기 위한 실질적인 역량을 키우기 위해 노력해야 합니다. 이를 위해 실무 경험을 쌓고, 다양한 사람들과 협업하는 경험을 쌓는 것이 도움이 됩니다.

창업자는 사회에 기여하는 기업가 정신을 갖추어야 합니다. 이를 위해서는 다음과 같은 노력이 필요합니다.

윤리 경영 : 창업자는 법과 윤리를 준수하고, 사회적 책임을 다하는 경영을 실천해야 합니다.

사회 공헌 : 창업자는 사회에 공헌할 수 있는 다양한 활동을 통해 사회적 책임을 다해야 합니다.

개인적 성장을 위해서는 창업자가 다음과 같은 노력을 기울여야 합니다.

자기 이해를 높이기 위한 노력: 창업자는 자신의 강점과 약점을 이해하고, 이를 바탕으로 기업을 운영하기 위한 전략을 수립해야 합니다. 이를 위해 심리 검사나 멘토링 등을 통해 자신의 내면을 들여다보는 시간을 가질 수 있습니다.

건강을 유지하기 위한 노력: 창업자는 과도한 업무로 인해 건강을 잃지 않도록 노력해야 합니다. 이를 위해 규칙적인 운동과 충분한 휴식, 건강한 식단 등을 유지하는 것이 중요합니다.

인간관계를 관리하기 위한 노력: 창업자는 다양한 사람들과 협력하며 기업을 운영해야 합니다. 이를 위해 인간관계를 관리하는 역량을 키우는 것이 중요합니다.

창업자는 기업의 성공을 위해 자신의 모든 것을 쏟아붓는 경우가 많지만, 이러한 과정에서 개인적인 삶의 균형을 잃어버리는 경우도 적지 않습니다. 창업자가 균형을 잃게 되면, 건강을 해치거나, 가족과 친구들과의 관계가 소원해지거나, 심지어는 기업의 성공에도 악영향을 미칠 수 있습니다.

창업자의 균형을 유지하기 위해서는 다음과 같은 노력을 기울여야 합니다.

시간을 효율적으로 관리하기 위한 노력: 창업자는 자신의 시간을 효율적으로 관리하기 위해 노력해야 합니다. 이를 위해 우선순위를 정하고, 시간 관리 도구를 사용하는 것이 도움이 됩니다.

자신을 돌보기 위한 노력: 창업자는 자신의 건강과 행복을 위해 시간을 할애해야 합니다. 이를 위해 규칙적인 운동과 충분한 휴식, 취미 생활 등을 즐기는 것이 좋습니다.

가족과 친구들과의 관계를 유지하기 위한 노력: 창업자는 가족과 친구들과의 관계를 유지하기 위해 노력해야 합니다. 이를 위해 정기적으로 시간을 내어 가족과 친구들과 함께 시간을 보내는 것이 좋습니다.

창업자의 성장과 균형은 서로 간의 균형을 이루는 것이 중요합니다. 창업자가 사업적 성장에만 집중하다 보면, 개인적 성장이 소홀해질 수 있고, 반대로 개인적 성장에만 집중하다 보면, 사업적 성장이 저해될 수 있습니다. 창업자들은 자신의 목표를 설정하고, 자원을 효율적으로 관리하며, 지원 체계를 구축함으로써 성장과 균형을 추구해야 합니다.

11.1 창업자 역량과 자기 계발

창업은 새로운 사업을 시작하고, 이를 성공으로 이끌기 위한 과정입니다. 창업은 창업자의 역량과 노력에 따라 성공과 실패가 좌우됩니다. 따라서, 창업자는 창업자 역량을 강화하기 위한 자기 계발에 힘써야 합니다.

창업자 역량은 창업자가 사업을 성공으로 이끌기 위해 필요한 능력과 역량을 의미합니다. 창업자 역량은 다음과 같은 영역으로 구분할 수 있습니다.

기술 역량 : 기술 역량은 사업의 핵심 기술을 이해하고, 이를 활용할 수 있는 역량을 의미합니다. 예를 들어, IT 스타트업의 경우, 소프트웨어 개발 역량, 데이터 분석 역량 등이 중요합니다.

비즈니스 역량 : 비즈니스 역량은 사업을 기획하고, 운영하고, 관리할 수 있는 역량을 의미합니다. 예를 들어, 시장 분석 역량, 마케팅 역량, 재무 역량 등이 중요합니다.

리더십 역량 : 리더십 역량은 팀을 이끌고, 사람들을 동기 부여할 수 있는 역량을 의미합니다. 예를 들어, 커뮤니케이션 역량, 협업 역량, 문제 해결 역량 등이 중요합니다.

인간 역량 : 인간 역량은 창업자의 개인적인 역량을 의미합니다. 여기에는 도전 정신, 문제 해결 능력, 스트레스 관리 능력 등이 포함됩니다.

창업자 역량을 강화하기 위해서는 다양한 방법으로 자기 계발을 수행해야 합니다. 자기 계발 방법은 다음과 같습니다.

교육 : 관련 교육을 통해 전문 지식을 습득할 수 있습니다. 예를 들어, 대학원 과정, 벤처스쿨, 인큐베이터 프로그램 등이 있습니다.

경험 : 다양한 경험을 통해 실무 능력을 향상시킬 수 있습니다. 예를 들어, 인턴십, 프리랜서 활동, 창업 동아리 활동 등이 있습니다.

네트워킹 : 다른 창업자들과의 네트워킹을 통해 정보를 얻고, 지원을 받을 수 있습니다. 예를 들어, 창업 커뮤니티, 창업 지원 단체 등이 있습니다.

창업자 역량 강화를 위한 실질적인 조언은 다음과 같습니다.

자기 계발 계획 수립 : 자기 계발 계획을 수립하여 체계적으로 자기 계발을 수행해야 합니다. 자기 계발 계획을 수립할 때는 자신의 목표와 필요를 고려해야 합니다.

꾸준한 자기 계발 실천: 자기 계발은 꾸준히 실천해야 효과를 볼 수 있습니다. 따라서, 자기 계발 계획을 수립한 후에는 이를 꾸준히 실천하는 것이 중요합니다.

창업은 쉽지 않은 과정입니다. 창업 과정에서는 다양한 어려움과 도전을 마주하게 됩니다. 따라서, 창업자는 다음과 같은 자세를 갖추는 것이 중요합니다.

긍정적인 자세 : 창업은 긍정적인 자세가 무엇보다 중요합니다. 어려움에 직면하더라도 좌절하지 않고, 이를 극복하기 위해 노력해야 합니다.

도전적인 자세 : 창업은 도전적인 자세가 필요합니다. 기존의 방식에 안주하지 않고, 새로운 것을 시도하는 것을 두려워하지 않아야 합니다.

끈질긴 자세 : 창업은 끈질긴 자세가 필요합니다. 성공하기 위해서는 많은 시간과 노력이 필요합니다. 따라서, 포기하지 않고, 끝까지 노력하는 자세가 중요합니다.

오늘날의 시장은 급변하고 있습니다. 따라서, 창업자는 빠르게 변화하는 시장을 이해하고, 이에 대응할 수 있는 자세를 갖추는 것이 중요합니다.

시장 트렌드를 지속해서 모니터링: 시장 트렌드를 지속해서 모니터링하여 변화를 파악해야 합니다. 이를 통해 새로운 기회를 포착하고, 위협에 대응할 수 있습니다.

변화에 대한 유연성 : 변화에 대한 유연성을 갖추는 것이 중요합니다. 기존의 방식을 고집하지 않고, 변화에 적응할 수 있어야 합니다.

빠른 의사 결정 능력 : 빠르게 변화하는 시장에서는 빠른 의사 결정 능력이 중요합니다. 새로운 정보와 변화에 신속하게 대응하기 위해서는 빠른 의사 결정 능력을 갖추어야 합니다.

창업 후에는 다양한 이슈가 발생할 수 있습니다. 예를 들어, 고객의 불만, 직원의 이탈, 투자자의 요구 등 다양한 이슈에 직면하게 됩니다. 이러한 이슈에 효과적으로 대응하기 위해서는 다음과 같은 자세를 갖추는 것이 중요합니다.

신속한 대응 : 이슈가 발생하면 신속하게 대응해야 합니다. 이슈가 장기화되면 더 큰 문제가 발생할 수 있기 때문입니다.

적극적인 대응: 이슈에 적극적으로 대응해야 합니다. 이슈를 해결하기 위해 최선을 다해야 합니다.

명확한 소통 : 이슈에 대한 명확한 소통이 필요힙니다. 이슈의 내용과 해결 방안 등을 이해관계자들에게 명확하게 전달해야 합니다.

창업자 역량과 자세는 창업 성공의 중요한 요소입니다. 창업자 역량과 자세를 강화하기 위해서는 다양한 방법을 활용하여 자기 계발을 수행해야 합니다. 또한, 창업 과정에서는 다양한 어려움과 도전을 마주하게 됩니다. 이러한 어려움과 도전을 극복하기 위해서는 긍정적인 자세, 도전적인 자세, 끈질긴 자세 등을 갖추는 것이 중요합니다.

11.2 네트워킹과 커뮤니티 참여

창업은 혼자서 하는 일이 아닙니다. 창업 과정에서는 다양한 사람들과의 협력과 지원이 필요합니다. 따라서, 창업자는 네트워킹과 커뮤니티 참여를 통해 다양한 사람들과 교류하고, 관계를 구축하는 것이 중요합니다.

네트워킹은 서로 알지 못하는 사람들과 관계를 형성하는 과정입니다. 네트워킹을 통해 창업자는 다음과 같은 혜택을 얻을 수 있습니다.

정보 획득 : 네트워킹을 통해 다양한 분야의 사람들로부터 정보를 얻을 수 있습니다. 이는 창업 아이템 개발, 사업 계획 수립, 마케팅, 투자 유치 등 다양한 분야에서 도움이 됩니다.

지원 : 네트워킹을 통해 다양한 사람들로부터 지원을 받을 수 있습니다. 이는 인적, 물적, 재정적 지원을 포함합니다.

협력 : 네트워킹을 통해 다양한 사람들과 협력할 수 있습니다. 이는 사업 아이디어를 구현하고, 사업을 성장시키는 데 도움이 됩니다.

커뮤니티는 공통의 관심사를 가진 사람들이 모여 활동하는 조직입니다. 커뮤니티 참여를 통해 창업자는 다음과 같은 혜택을 얻을 수 있습니다.

정보 공유 : 커뮤니티를 통해 다양한 사람들과 정보와 경험을 공유할 수 있습니다. 이는 창업 과정에서 발생하는 다양한 어려움을 극복하는 데 도움이 됩니다.

공동체 의식: 커뮤니티를 통해 공동체 의식을 형성할 수 있습니다. 이는 창업자의 정신적, 정서적 안정에 도움이 됩니다.

동기 부여 : 커뮤니티를 통해 다른 창업자들의 성공 사례를

통해 동기 부여를 받을 수 있습니다.

대한민국의 창업 생태계는 빠르게 성장하고 있습니다. 하지만, 여전히 창업 초기 기업에 대한 지원이 부족한 상황입니다. 따라서, 창업자는 네트워킹과 커뮤니티 참여를 통해 다양한 사람들로부터 도움을 받을 필요가 있습니다.

창업자가 네트워킹과 커뮤니티 참여를 효과적으로 수행하기 위해서는 다음과 같은 전략을 수립하는 것이 중요합니다.

목표 설정 : 네트워킹과 커뮤니티 참여의 목표를 명확하게 설정해야 합니다. 이를 통해 효과적인 네트워킹과 커뮤니티 참여를 수행할 수 있습니다.

꾸준한 노력 : 네트워킹과 커뮤니티 참여는 꾸준한 노력이 필요합니다. 단기간에 성과를 얻을 수 있는 것은 아니기 때문입니다.

진정성 : 네트워킹과 커뮤니티 참여는 진정성 있는 자세가 중요합니다. 진정성 있는 자세로 사람들과 교류하면, 더욱 효과적인 관계를 구축할 수 있습니다.

정부, 민간 기업, 대학 등이 다양한 스타트업 지원 프로그램을 운영하고 있습니다. 이러한 지원 프로그램에 참여하면, 다양한 분야의 창업자들과 교류하고, 유익한 정보를 얻을 수 있습니다.

다양한 창업 지원기관들이 주최하는 네트워킹 행사가 개최되고 있습니다. 이러한 행사에 참여하면, 다양한 사람들과 교류하고, 새로운 기회를 얻을 수 있습니다.

네트워킹과 커뮤니티 참여는 창업 성공에 필수적인 요소입니다. 창업자는 네트워킹과 커뮤니티 참여를 통해 다양한 사람들과 교류하고, 관계를 구축하여 창업 성공의 가능성을 높여야 합니다.

11.3 일과 삶 균형과 건강 관리

일과 삶 균형이 잘 이루어지면, 일과 삶의 만족도가 높아지고, 건강에도 도움이 됩니다.

스타트업은 일반적으로 기존 기업에 비해 일과 삶 균형이 부족한 것으로 알려져 있습니다. 이는 스타트업의 특성상, 업무량이 많고, 긴급한 상황에 대응해야 하는 경우가 많기 때문입니다.

최근 한국의 스타트업은 빠른 성장을 이루고 있습니다. 하지만, 이러한 성장을 위해서는 창업자와 구성원 모두의 노력이 필요합니다. 특히, 일과 삶 균형을 확보하는 것은 창업과 성장을 위한 필수 요소입니다.

일과 삶 균형을 확보하기 위해서는 다음과 같은 노력이 필요합니다.

일과 삶의 구분 : 일과 삶을 분리하는 것이 중요합니다. 업무 시간에는 업무에 집중하고, 업무 시간 외에는 일에서 벗어나 휴식을 취하는 것이 좋습니다.

시간 관리 : 시간을 효율적으로 관리하는 것이 중요합니다. 우선순위를 정하고, 시간을 효율적으로 사용하는 방법을 익히는 것이 도움이 됩니다.

휴식과 자기 관리 : 충분한 휴식과 자기 관리가 필요합니다. 규칙적인 수면, 규칙적인 운동, 건강한 식단 등을 통해 건강을 유지하는 것이 중요합니다.

다음은 일과 삶 균형을 위한 실천 사례입니다.

업무 시간 외에는 업무 전화와 메일을 받지 않는다.

주말에는 가족과 친구들과 시간을 보낸다.

매주 정기적으로 휴가를 떠난다.

운동, 독서, 취미 활동 등 자신만의 시간을 갖는다.

일과 삶 균형은 창업과 성장을 위한 필수 요소입니다. 창업자와 구성원 모두가 일과 삶 균형을 위해 노력한다면, 더욱 건강하고 행복한 삶을 누릴 수 있을 것입니다.

한국 스타트업의 일과 삶 균형을 개선하기 위해서는 다음과 같은 방안이 필요합니다.

창업자의 리더십 : 창업자가 일과 삶 균형의 중요성을 인식하고, 구성원들의 일과 삶 균형을 지원하는 리더십을 발휘해야 합니다.

제도적 지원 : 정부와 기업이 일과 삶 균형을 위한 제도적 지원을 확대해야 합니다. 예를 들어, 탄력 근무제, 재택근무제, 유연 휴가제 등 다양한 제도를 도입하는 것이 도움이 될 것입니다.

문화적 변화 : 한국 사회의 일과 삶 균형에 대한 인식을 개선하는 것이 필요합니다. 일과 삶의 균형을 중요시하는 문화가 확산된다면, 스타트업도 일과 삶 균형을 개선할 수 있을 것입니다.

스타트업 A는 매주 금요일 오후 3시부터 퇴근하는 '조기 퇴근제'를 시행하고 있습니다.

스타트업 B는 직원들이 자유롭게 출퇴근 시간을 정할 수 있는 '탄력 근무제'를 시행하고 있습니다.

스타트업 C는 직원들이 업무와 육아를 병행할 수 있도록 '유연 휴가제'를 시행하고 있습니다.

위와 같은 실천 사례를 통해, 한국 스타트업도 일과 삶 균형을 개선하고, 더욱 건강하고 행복한 삶을 누릴 수 있기를 기대합니다.

[멘토링 QnA]

Q1. 창업 아이디어를 가지고 있는데 바로 개인사업자나 법인을 설립해야 하나요?

A1. 간이과세자로 대표님의 아이디어를 가지고 먼저 사업을 시작해 보시는 것이 하나의 방법일 수 있습니다.

개인사업자의 경우는 간이과세자와 일반과세자로 구분이 가능합니다.
간이과세자는 직전 연도 공급대가 합계액이 8,000만 원 미만인 개인사업자를 기준으로 합니다. (단, 부동산임대업 또는 과세유흥장소 경영 사업자는 4,800만 원)

직전 연도 공급대가가 없으면, 신규 사업자는 사업개시일부터 과세기간 종료일까지의 공급대가 합계액을 12개월로 환산하여 적용합니다.

세금 절감: 간이과세자는 일반과세자보다 세금 부담이 적습니다. 간이과세자는 매출액에 따라 10%의 세율로 부가가치세를 납부하지만, 공급한 대가에 업종별 부가가치율이 적용되기 때문에 실제 매출세액은 일반과세자보다 낮은 세율로 적용됩니다.

회계 처리 간소화: 간이과세자는 일반과세자에 비해 회계 처리가 간소합니다. 간이과세자는 매출액, 매입액, 소득, 비용

등만 신고하면 됩니다.

사업 초기의 부담 감소: 사업 초기에는 매출액이 적을 가능성이 높습니다. 따라서, 간이과세자로 사업을 시작하면 세금 부담을 줄이고, 사업 초기의 부담을 감소시킬 수 있습니다.

창업 아이디어를 테스트하는 단계에서 간이과세자로 사업을 시작하는 것은 세금 절감, 회계 처리 간소화, 사업 초기의 부담 감소 등의 이유로 많은 예비 창업자가 선호하는 방법 중 하나입니다.

사업이 성장하여 매출액이 증가하고, 복잡한 회계 처리가 필요해지면 일반과세자로 전환하는 것이 바람직합니다.

따라서, 사업 초기에는 간이과세자로 시작하여 사업이 성장함에 따라 일반과세자로 전환하는 것이 일반적으로 적절한 전략이라고 할 수 있습니다.

다만, 사업의 상황에 따라 간이과세자로 사업을 영위하는 것이 더 유리한 경우도 있습니다. 예를 들어, 사업의 규모가 작고, 세금 절감이 중요한 경우 간이과세자로 사업을 영위하는 것이 더 유리할 수 있습니다

Q2. 개인사업자(일반과세자)로 사업을 운영하고 있는데 법인으로 전환해야 하나요?

A2. 사업 규모가 커지고, 세금 절감, 재무구조 개선, 신뢰성 제고, 성장 가능성 확대 등이 필요한 경우 개인사업자는 법인사업으로 전환하는 것을 고려할 수 있습니다.

개인사업사 장점

설립 및 운영이 간편합니다. 사업자 등록만 하면 사업을 시작할 수 있습니다.

사업주와 대표자가 동일하므로 책임이 명확합니다.

사업의 규모가 작을 때는 세금 부담이 적습니다.

개인사업자 단점

세금 부담이 높습니다. 소득세율이 법인세율보다 높습니다.

재무구조가 불안정할 수 있습니다. 자본금이 제한되어 있고, 자금 조달이 쉽지 않을 수 있습니다.

신뢰성이 낮을 수 있습니다. 개인사업자는 법인에 비해 신뢰성이 낮게 평가될 수 있습니다.

성장 가능성이 제한적입니다. 자금 조달이 쉽지 않고, 해외 진출이 용이하지 않을 수 있습니다.

법인사업자 장점

세금 부담이 낮습니다. 법인세율이 소득세율보다 낮습니다.

재무구조가 안정적입니다. 자본금을 조달할 수 있고, 법인채권을 발행할 수도 있습니다.

신뢰성이 높습니다. 법인은 개인사업에 비해 신뢰성이 높게 평가됩니다.

성장 가능성이 높습니다. 자금 조달이 쉽고, 해외 진출이 용이합니다.

법인사업자 단점

설립 및 운영이 복잡합니다. 법인 정관, 주주총회, 감사 등의 절차를 거쳐야 합니다.

사업주와 대표자가 분리되어 책임이 불명확할 수 있습니다.

사업의 규모가 커질수록 세금 부담이 높아질 수 있습니다.

개인사업자와 법인사업자 모두 장단점이 있습니다. 사업 규모, 세금 부담, 재무구조, 신뢰성, 성장 가능성 등을 고려하여 창업기업의 상황에 적합한 형태를 선택하는 것이 중요합니다.

Q3. 예비 창업자 패키지 지원사업부터 시작하는 게 좋을까요? 아니면 사업자등록을 하고 초기 창업자 패키지 지원사업부터 시작하는 게 좋을까요?

A3. 대표님이 창업 아이템에 대한 경험, 지식 네트워크 등이 준비되어 있으며, 초기 창업자 패키지 지원사업부터 시작하시고, 준비가 필요한 상황이면 예비 창업자 패키지 지원사업부터 시작하시는 것을 추천해 드립니다.

예비 창업자 패키지 지원사업부터 받아서 창업을 시작하는 것이 좋은 경우

창업 아이템이 구체적이지 않은 경우

사업계획 수립 및 창업 준비에 어려움을 겪고 있는 경우

창업 교육 및 멘토링을 통해 창업 역량을 강화하고 싶은 경우

창업 아이템에 대한 경험 및 네트워크가 부족한 경우

사업자등록을 하고 초기 창업자 패키지 지원사업부터 시작하는 것이 좋은 경우

창업 아이템이 구체적이고, 사업계획이 완성된 경우

창업 준비가 어느 정도 되어 있는 경우

사업화 자금이 필요한 경우

창업 아이템에 대한 경험, 네트워크 및 판로가 확보된 경우

Q4. 회사의 홈페이지와 플랫폼을 만들기 위해 서비스 기획, 화면설계서, 웹 기획서 등 필요한 문서는 제작 했지만, 내부에 개발자는 없는 상황이고, 적은 예산으로 외주를 맡길 만한 곳을 찾을 방법이 있나요?

A4. 대부분의 초기 창업기업의 경우 예산의 문제로 내부에 개발 상주인력을 채용하여 서비스 모델을 만들기가 어렵기 때문에 솔루션 업체를 이용하시는 것을 추천해 드립니다.

지인, 프리랜서, 소규모 개발팀을 통해서도 예산을 절감하여 개발을 진행할 수 있지만, 개발에 관한 지식이 없는 창업자라면 커뮤니케이션 오류로 개발이 지연되거나 개발이 좌초될 가능성이 높습니다. 이러한 상황에서 솔루션 업체를 이용하면 다음과 같은 장점이 있습니다.

개발 비용 절감: 솔루션 업체는 이미 개발된 솔루션을 제공하기 때문에, 별도의 개발 비용이 필요하지 않습니다.

개발 기간 단축: 솔루션 업체는 이미 개발된 솔루션을 제공하기 때문에, 개발 기간을 단축할 수 있습니다.

전문성 확보: 솔루션 업체는 전문적인 기술과 경험을 보유하고 있기 때문에, 양질의 서비스를 제공할 수 있습니다.

따라서, 초기 창업기업의 경우 솔루션 업체를 이용하는 것이 비용과 시간을 절약하고, 양질의 서비스를 제공할 수 있는 효과적인 방법입니다.

Q5. 회사의 지식재산권을 빠른 시간내에 구축해서 사업을 보호하고, 투자 유치, 벤처기업 확인, 기술보증 기금 대출 및 기술개발 지원사업 등에 활용하고 싶은데 어떻게 하면 지식재산권을 빠르게 확보할 수 있을까요?

A5. 지식재산권은 특허권, 실용신안권, 상표권, 디자인권, 저작권 등으로 구성되어 있으며, 기술에 대한 보호, 투자 유치 및 기술개발 지원 사업 등을 위해서는 특허권을 먼저 획보해야 합니다. 특허권을 확보하는 방법으로는 직접 출원 방식과 권리이전 방식이 있습니다.

직접 출원

창업자나 창업기업의 임직원이 보유한 아이디어를 직접 출원하는 방식을 뜻합니다. 특허는 출원신청 후 심사를 통해 등록 여부가 결정이 나는데 등록 결정까지 통상적으로 1년 이상의 시간이 소요됩니다. 우선 심사 신청 대상에 해당하는 경우 우선심사를 신청하시면 심사 기간을 일반적인 절차보다 특허권을 빠르게 획득할 수 있습니다.

권리 이전

등록된 특허를 무상이나 유상으로 권리를 이전받는 방식을 뜻합니다. 등록된 특허의 권리를 양도받기 때문에 직접 출원 방식보다 빠르게 창업기업에 필요한 특허를 확보할 수 있습니다.

무상양도: 정부출연연구기관 및 대기업에서 기술의 공익적 확산과 대중소기업의 상생 및 동반성장을 위해 보유하고 있는 특허를 무상양도 하고 있습니다. 연구기관과 보유하고 있는 다양한 산업 분야의 특허를 무상으로 권리 이전을 받을 수 있는 장점이 있으며, 삼성전자의 경우 대구 창조경제혁신센터 홈페이지에 연중으로 '삼성개방특허' 리스트를 공개하고 있습니다.

대구 창조경제혁신센터: https://ccei.creativekorea.or.kr/daegu/

유상 양도: 개인, 기업, 대학교, 정부출연연구기관 등에 비용을 지불하고 특허를 유상으로 권리 이전을 받을 수 있습니다. 기술보증기금이 운영하는 스마트 테크브릿지는 연구소, 대학, 민간이 보유하고 있는 특허를 중소기업이 사업화 할 수 있도록 기술을 연계하고, 단계별 기술사업화를 지원하고 있습니다. 특히 스마트 테크브릿지를 통해 특허를 이전받은 기업에 한하여 지원이 가능한 기술개발 지원사업을 통해 기술 이전 뿐만 아니라 이전받을 기술을 고도화하여 사업화까지 할 수 있도록 지원하고 있습니다.

스마트 테크브릿지: https://tb.kibo.or.kr/

Q6. 기업부설연구소, 연구전담부서 설립이 필요한가요?

A6. 기업부설연구소와 연구전담부서는 요건을 갖춘 기업의 연구개발 전담 조직을 인정함으로써 기업의 연구개발 활동에 따른 지원 혜택을 부여하여 기업의 연구개발을 촉진하는 제도입니다.

연구 빛 인력개발비 세액공제, 통합 투자 세액공제, 기업부설연구소용 부동산 지방세 감면, 기술이전 및 대여 등에 대한 과세특례, 외국인 기술자 소득세 감면, 연구개발 관련 출연금 등 과세특례, 연구개발특구 첨단기술기업 등 법인세 감면, 연구원 연구활동비 소득세 비과세 등의 조세지원을 하고 있으며, 과학기술 또는 산업기술의 연구개발에 공헌하기 위하여 수입하는 물품에 부과되는 관세의 80%를 감면해 주는 관세지원도 받을 수 있습니다. 또한, 일부 기술개발 지원사업 신청 시 가산점을 받을 수 있습니다.

개인사업자와 주식회사 등 영리활동이 목적인 기업이 신청 가능하며, 설립을 먼저하고 신고를 하여 인정받는 체계이기 때문에 인정 요건을 갖춘 상태에서 구비서류를 작성하여서 신청하면 됩니다.

연구소 설립 이후 연구노트를 작성해야 하고, 연구소의 변경사항이 발생하면 변경신청을 해야 합니다.

인정 요건

구분			신고요건
인적 요건	연구소	벤처기업	연구전담요원 2명 이상
		연구원창업 중소기업	
		소기업	연구전담요원 3명이상
			단, 창업일로부터 3년까지는 2명이상
		중기업	연구전담요원 5명 이상
		국외에 있는 기업연구소 (해외연구소)	연구전담요원 5명 이상
		중견기업	연구전담요원 7명 이상
		대기업	연구전담요원 10명 이상
	연구개발 전담부서	기업규모에 관계없이	연구전담요원 1명 이상

		동등적용	
물적 요건	연구시설 및 공간요건		연구개발활동을 수행해 나가는데 있어서 필수적인 독립된 연구공간과 연구시설을 보유하고 있을 것

Q7. 벤처기업 확인을 받으면 좋은가요?

A7. 벤처기업은 일반적으로 첨단기술과 아이디어를 개발하여 사업에 도전하는 기술집약형 중소기업을 의미하며, "벤처기업 육성에 관한 특별조치법"에서 정한 요건의 기업으로 다양한 혜택을 지원하고 있습니다.

법인세/소득세 최초 벤처확인일부터 최대 5년간 50% 감면, 취득세 75% 감면, 재산세 최초 벤처확인일부터 3년간 면제, 이후 2년간 50% 감면, 기술보증기금 보증 한도 확대, 코스닥 상장심사기준 우대, 스톡옵션 부여 대상 확대, TV/라디오 광고비 할인 등의 혜택이 있습니다. 또한, 일부 기술개발 지원사업 신청 시 가산점을 받을 수 있습니다.

벤처 확인 유형

예비벤처 유형: 개인사업자 또는 법인사업자 등록을 준비 중인 자로 벤처 확인 기관으로부터 기술의 혁신성과 사업의 성장성이 우수한 것으로 평가받은 자.

혁신성장유형: 중소기업이며, 벤처 확인 기관으로부터 기술의 혁신성과 사업의 성장성이 우수한 것으로 평가받은 기업.

연구개발 유형: 중소기업이며, 기업부설 연구소, 연구개발 전담 부서, 기업부설 창작연구소, 기업 창작 전담부서 중 1개 이상 보유하고 있는 기업. 벤처기업확인 요청일이 속하는 분기의 직전 4개 분기 연구개발비가 5천만원 이상이고, 같은 기간 총 매출액 중 연구개발비의 합계가 차지하는 비율이 5% 이상인 기업으로 벤처기업 확인기관으로부터 사업의 성장성이 우수한 것으로 평가받은 기업..

벤처투자 유형: 중소기업이며, 적격 투자기관으로부터 5천만원 이상 투자금을 유치한 기업.

벤처기업 확인은 신청, 접수, 평가, 심의 단계를 거쳐 확인서가 발급되는 절차가 있습니다. 확인 유형별 확인결과 기간은 혁신성장유형과 연구개발유형 접수완료일로부터 약 45일, 벤처투자유형 접수완료일로부터 약 30일의 기간이 소요됩니다.

2022년 기준 벤처기업확인을 받은 기업은 35,123개사 이며 유니콘 기업 19개, 코스닥 상장 벤처기업 1,167개가 있습니다. 혁신성장유형의 비율이 58.2%인 20,428개 사로 가장 많은 유형이며, 제조업이 59.1%인 20,750개 사 입니다.

Q8. 정부 지원사업 사업제안서를 작성하기 전에 준비해야 하는 것들이 무엇이 있나요?

A8. 사업 공고문에 명시된 가점 항목을 철저히 분석하고 이를 충족시킬 수 있는 방안을 고려해야 합니다. 이 과정에서 자신의 사업이 어떻게 가점 기준에 부합하는지 명확히 하는 것이 중요합니다.

사업제안서 작성 시, 창업에 관한 기존 활동, 그로 인한 결과, 그리고 향후 전략을 상세히 기술해야 합니다. 이는 심사위원들에게 사업의 실현 가능성과 잠재력을 입증하는 중요한 요소가 됩니다. 특히, 이미 수익 창출을 시작한 기업은 평가과정에서 유리한 위치에 서게 됩니다. 이는 심사위원들이 이미 매출을 내는 기업이 사업화 가능성이 높다고 평가하기 때문입니다.

아직 매출 단계에 이르지 않았다면, 다른 방법으로 사업의 가능성을 보여줄 필요가 있습니다. 예를 들어, SNS 채널 운영을 통한 유효 고객 확보, MVP(최소 기능 제품) 개발 및 사용자 피드백 수집, 판로 및 네트워크 확장 노력 등은 사업제안서에 포함해 사업화 가능성을 강조할 수 있는 요소입니다. 이러한 활동들은 사업제안서를 통해 사업의 성장 잠재력을 입증하는 데 도움이 됩니다.

Q9. 기술개발(R&D) 지원사업 제안서는 어떻게 작성해야 하나요?

A9. 기술개발 지원사업의 사업계획서는 연구개발의 내용 및 방법에 대해 구체적인 내용과 방법을 제시하는 게 중요합니다.

연구개발의 필요성 및 목적에서는 연구개발이 왜 필요한지, 연구개발을 통해 어떤 목적을 달성하고자 하는지 명확하게 제시해야 합니다. 연구개발의 필요성은 기술적 필요성, 경제적 필요성, 사회적 필요성 등을 중심으로 논리적으로 설명해야 합니다.

연구개발의 내용 및 방법에서는 연구개발의 구체적인 내용과 방법을 제시해야 합니다. 연구개발의 내용은 연구개발의 목표, 연구개발의 범위, 연구개발의 방법 등을 포함합니다. 연구개발의 방법은 연구개발의 단계별 세부 계획을 포함합니다.

연구개발의 기대효과에서는 연구개발의 성공 시 기대되는 효과를 제시해야 합니다. 기대효과는 기술적 효과, 경제적 효과, 사회적 효과 등을 중심으로 제시할 수 있습니다.

연구개발의 수행계획에서는 연구개발을 수행하기 위한 구체적인 계획을 제시해야 합니다. 수행계획은 연구개발의 일정, 연구개발의 인력, 연구개발의 장비 등을 포함합니다.

연구개발의 예산에서는 연구개발에 필요한 예산을 제시해야 합니다. 예산은 연구개발의 내용, 방법, 수행계획 등을 고려하여 산정해야 합니다.

국가 과학 기술 지식 정보 서비스 (National Science & Technology Information Service - NTIS)는 정부 지원 사업, 과제, 연구자, 성과 등 국가연구개발 사업에 대한 정보를 한 곳에서 확인할 수 있는 국가 R&D 지식정보 포털입니다.

NTIS에는 다양한 기술개발 지원사업의 완료 보고서들이 등록되어 있습니다. 등록된 연구보고서를 확인하여 다른 연구기관 혹은 기업에서 공개한 완료 보고서를 참고하여 기술개발 사업계획서 작성하는 과정에 도움을 받을 수 있습니다.

기술개발 지원사업의 제안서 작성 시, 개발하고자 하는 기술의 효과를 입증하기 위해 정량적 평가 기준과 검사 방법을 명확하게 제시하여야 합니다. 이를 위해, 선행 기술개발 사업의 완료 보고서를 분석하는 접근 방식이 유용할 수 있습니다.

선행 사업 보고서는 이미 검증된 기술들의 성과와 그들이 사용한 평가 지표들을 담고 있습니다. 이러한 보고서들을 분석함으로써, 관련 분야에서 널리 인정받는 정량적 평가 방법을 이해하고, 그것을 자신의 기술개발 계획에 적용할 수 있습니다.

Q10. 투자제안서(IR)자료 작성은 어떻게 해야 할까요?

A10. 투자제안서(IR, Investor Relations 자료)는 투자자가 회사의 가치와 잠재력을 이해하고, 투자 결정을 내리는 데 도움이 되는 정보를 포함해야 합니다. 그렇기 때문에 모든 정보는 정확하고 현실적이며, 설득력 있게 제시되어야 합니다.

문제정의: 시장에서 발견한 구체적인 문제나 고객의 불편함을 명확하고 간결하게 제시합니다. 이 문제가 왜 중요한지, 어떤 부분에서 기존 솔루션들이 미흡한지를 강조합니다.

솔루션: 문제를 해결하기 위한 귀사의 독특한 해결책을 제시합니다. 제품이나 서비스가 어떻게 그 문제를 해결하는지 구체적으로 설명하고, 이 솔루션의 혁신성을 강조합니다.

아이템: 제품이나 서비스의 주요 특징과 기능을 상세히 설명합니다. 시각적 자료(예: 이미지, 도표)를 사용하여 설명을 보완합니다.

시장 검증: 제품이나 서비스가 이미 시장에서 어느 정도 검증되었다는 증거를 제시합니다. 초기 사용자 피드백, 판매 데이터, 시험 운영 결과 등을 포함할 수 있습니다.

시장 규모: 목표 시장의 크기와 성장 잠재력을 데이터와 통계를 통해 보여줍니다. 시장의 확장 가능성을 보여주는 동향과 예측도 포함합니다.

비즈니스 모델: 귀사의 수익 창출 모델을 설명합니다. 주요 수익원, 가격 전략, 고객과의 거래 방식 등을 포함합니다.

차별화: 경쟁사 대비 귀사의 제품이나 서비스가 갖는 독특한 차별점을 강조합니다. 이는 기술적 우위, 특허, 독점적 파트너십 등일 수 있습니다.

시장 진출 진략: 제품이나 서비스를 시장에 어떻게 도입할 계획인지를 설명합니다. 이는 마케팅 전략, 유통 채널, 목표 고객층 등을 포함합니다.

경쟁사 분석: 주요 경쟁사와의 비교를 통해 귀사의 상대적 위치와 경쟁 우위를 보여줍니다. 이는 SWOT 분석(강점, 약점, 기회, 위협)을 통해 이루어질 수 있습니다.

팀: 회사의 핵심 팀 멤버들과 그들의 경력, 전문성, 역할을 소개합니다. 팀의 강점과 업무에 대한 열정을 강조합니다.

성장 목표: 중장기적인 성장 목표와 달성 계획을 제시합니다. 이는 특정 시장 점유율 달성, 매출 증가 목표 등을 포함할 수 있습니다.

재무계획: 예상 매출, 수익성, 현금 흐름 예측 등을 포함하는 재무 전망을 제시합니다. 투자가 필요한 영역과 그에 따른 예상 투자 효과도 설명합니다.

기술 혁신 및 연구개발 (R&D): 회사의 기술적 혁신성을 강조하는 슬라이드입니다. 연구개발 프로젝트, 특허 현황, 제품 개발 파이프라인, 기술적 장벽 등을 포함하여 회사의 기술적 강점과 미래 지향적인 연구 개발 계획을 보여줍니다.

고객 및 사용자 피드백: 실제 고객이나 사용자들의 피드백을 보여주는 슬라이드입니다. 고객 사례 연구, 사용자 리뷰, 고객 만족도 조사 결과 등을 통해 제품이나 서비스가 시장에서 어떻게 받아들여지고 있는지를 보여줍니다.

사회적 영향 및 지속 가능성: 회사의 사회적 책임과 지속 가능성에 대한 약속을 강조합니다. 환경, 사회, 거버넌스(ESG) 기준에 대한 노력, 지역 사회에 미치는 긍정적인 영향, 지속 가능한 사업 운영 전략 등을 포함할 수 있습니다.

파트너십 및 협업: 기업이 현재 갖고 있는 파트너십, 협력 관계, 주요 고객사, 공급업체 등을 소개하는 슬라이드입니다. 이는 회사의 네트워크와 시장 내 영향력을 보여주며, 사업의 확장 가능성과 안정성을 강조합니다.

시장 및 산업 동향: 해당 산업의 전반적인 동향과 시장 변화를 분석하는 슬라이드입니다. 산업의 성장률, 기술 동향, 경제적 요인, 규제 환경 변화 등을 포함하여, 회사가 어떻게 이러한 동향을 활용하거나 대응할 수 있는지를 보여줍니다.

위와 같은 내용을 포함하여 투자제안서를 작성할 때는 다음과 같은 사항에 유의해야 합니다.

투자자의 관심사와 요구사항을 고려하여 작성해야 합니다.

명확하고 간결한 문체로 작성해야 합니다.

객관적이고 공정한 내용으로 작성해야 합니다.

또한, 투자제안서를 작성할 때는 다음과 같은 팁을 참고할 수 있습니다.

투자자가 이해하기 쉽도록 도식화나 그래프 등을 활용하여 작성합니다.

숫자와 데이터를 활용하여 투자자의 신뢰를 얻어야 합니다.

투자자의 궁금증을 해소할 수 있도록 답변을 준비합니다.